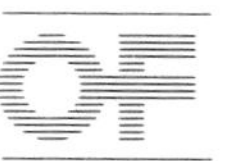

Franz Marti · Walter Trüb

Die Rhätische Bahn (RhB)
Chemins de fer Rhétiques (RhB)
The Rhaetian Railway (RhB)

Übersetzungen von:
Linda Blesi-Allin
Marie-Thérèse Zwyssig
Dieter W. Portmann

4. bearbeitete Auflage

Lektorat: Armin Ochs

Grafik: Heinz von Arx, Zürich
Druck: Orell Füssli Graphische Betriebe AG, Zürich
Einband: Busenhart SA, Lausanne
Printed in Switzerland
ISBN 3280016398

Inhalt

Sommaire

Contents

«. . ., gelangt aber vorderhand nur bis Landquart, einer kleinen Alpenstation, wo man den Zug zu wechseln gezwungen ist. Es ist eine Schmalspurbahn, die man nach längerem Herumstehen in windiger und wenig reizvoller Gegend besteigt, und in dem Augenblick, wo die kleine, aber offenbar ungewöhnlich zugkräftige Maschine sich in Bewegung setzt, beginnt der eigentlich abenteuerliche Teil der Fahrt, ein jäher und zäher Aufstieg, der nicht enden zu wollen scheint . . .»

Thomas Mann:
«Zauberberg»

«. . . mais on ne parvient de prime abord que jusqu'à Landquart, une petite station alpestre, où l'on est obligé de changer de train. C'est un chemin de fer à voie étroite où l'on s'embarque après une attente prolongée en plein vent, dans une contrée assez dépourvue de charme; et, dès l'instant où la machine, de petite taille, mais d'une puissance de traction apparemment exceptionnelle, se met en mouvement, commence la partie proprement aventureuse du voyage, une montée brusque et ardue qui ne semble pas vouloir finir . . .»

Thomas Mann:
«La montagne magique»

". . . but only runs for the present as far as Landquart, a tiny station in the Alps where one is compelled to change trains. It is a narrowgauge railway and one joins the train after standing around in windswept and somewhat dismal surroundings. But from the moment when the small, but surprisingly powerful engine starts to move one embarks on the really adventurous part of the journey, a continuous and impressive ascent which seems to be neverending . . ."

From "Zauberberg" ("The Magic Mountain") by Thomas Mann.

Die Geschichte des Stammnetzes

Die Rhätische Bahn, wie wir sie kennen und schätzen, verdankt ihre Existenz letzten Endes der Gotthardbahn. Eigentlich hatte Graubünden vor gut hundert Jahren zuversichtlich mit einer Transitbahn durch den Splügen gerechnet; als dann nach langem Tauziehen ziemlich unvermittelt der Gotthard das Rennen machte, nahm der Kanton die Erschliessung der «150 Täler» durch ein modernes Verkehrsmittel in die eigene Hand. So entstand zwischen 1889 und 1914 ein weitverzweigtes Schmalspurnetz sozusagen als Ersatz für die entgangene Normalspur-Transitbahn durch die Ostalpen.

Den ersten Anstoss zum Bahnbau gab aber ein Privatmann. Ein Davoser Hotelier sagte sich mit Recht, dass eine Eisenbahn wesentlich mehr Kundschaft ins heilkräftige Hochtal brächte als Kutschen und Pferdepost. Und so kam es zur Gründung der *Landquart–Davos-Bahn,* die 1889 den Betrieb bis Klosters und 1890 bis Davos aufnahm. Die geplante Verlängerung durch den Scaletta ins Engadin kam zwar nicht zustande, doch brachte die 1909 eröffnete Linie Davos–Filisur einen Anschluss an die Albulabahn und damit ins Engadin.

Die eigentliche Bündner Hauptbahn ist die eben erwähnte *Albulabahn* Chur–Thusis–St. Moritz. Sie wuchs in verschiedenen Etappen dem damals schon berühmten Hochtal des Engadin entgegen: 1896 bis Thusis, 1903 bis Celerina und 1904 bis St. Moritz. Auch diese Linie hätte verlängert werden sollen, und zwar über den Malojapass nach dem italienischen Chiavenna. Der Erste Weltkrieg machte diesen Plan zwar zunichte, doch kam die Verbindung mit der Veltliner Bahn gleichwohl zustande, wenn auch «nur» durch eine Touristenbahn.

Von der Albulabahn Chur–St.

L'histoire du réseau principal

Le Chemin de fer Rhétique (Rhätische Bahn, RhB), tel que nous le connaissons et l'apprécions, doit en fin de compte son existence à la ligne du Gothard. A vrai dire, il y a plus de cent ans, les Grisons avaient mis tout leur espoir dans une ligne de transit à travers le Splügen. Lorsque, après bien des pourparlers, on donna brusquement la préférence au Gotthard, le canton se chargea de rendre accessible les 150 vallées au moyen d'un transport moderne. C'est ainsi qu'apparut, entre 1889 et 1914, un réseau à voie étroite très ramifié qui devait pour ainsi dire remplacer le projet d'une ligne de transit à voie normale, à travers les Alpes de l'est.

Le début de la construction de la ligne est cependant dû à l'initiative d'un particulier. Un hôtelier de Davos prétendit à bon droit qu'un chemin de fer amènerait plus de clientèle dans la haute vallée, réputée pour ses vertus curatives, que les calèches et les diligences. Il en résulta la fondation de la ligne *Landquart–Davos* qui, en 1889, se mit en service jusqu'à Klosters et, en 1890, jusqu'à Davos. Le prolongement prévu à travers la Scaletta vers l'Engadine n'eut toutefois pas lieu. En revanche, la ligne Davos–Filisur, ouverte en 1909, établit une correspondance avec la ligne de l'Albula et, par le fait même, avec l'Engadine.

La véritable ligne principale des Grisons est justement celle que nous venons de mentionner, soit la ligne de l'*Albula* Coire–Thusis–Saint-Moritz. Elle se développa en plusieurs étapes, le long de la haute vallée de l'Engadine, déjà connue à cette époque: en 1896, jusqu'à Thusis, en 1903, jusqu'à Celerina et, en 1904, jusqu'à Saint-Moritz. Cette ligne aurait aussi dû être prolongée au-delà du col de la Maloja jusqu'à Chiavenna en Italie. La première guerre mondiale fit échouer ce projet. Le raccordement

The History of the Main Network

The Rhaetian Railway (RhB), as we know and love it today, owes its existence in the final analysis to the Gotthard line. More than a century ago, the Grisons had counted on the construction of a transit line through the Splügen, but when, after much argument, a sudden decision was made in favour of the Gotthard line, the Canton itself set out to build a modern means of transportation to make its 150 valleys accessible. Thus a widespread narrow gauge system was laid out between 1889 and 1914, a sort of replacement for the lost standard gauge transit line through the eastern Alps.

It was, however, a private citizen who took the first initiative towards constructing a railway. He was the owner of a hotel in Davos, and he thought with good reason that a railway would bring a considerably larger stream of tourists to the famous high valley than the horse-drawn carriages and mail coaches. Consequently the *Landquart–Davos Railway* was founded, and in 1889 its line was opened as far as Klosters and reached Davos in 1890. The planned extension through the Scaletta into the Engadine, the valley of the Inn, was not carried out in the end, but the section Davos–Filisur, opened in 1909, ensured the connection with the Albula Railway and hence with the Engadine.

The real main line through the Grisons is the *Albula Railway* Chur–Thusis–St Moritz. In 1896 it reached Thusis, in 1903 Celerina, and in 1904 St Moritz in the already famous Engadine. This line was meant to be extended, too, across the Maloja Pass to the Italian town of Chiavenna. However, World War I put an end to all plans of this kind. Eventually a connection with the Valtellina Railway was made, though "only" by a tourist railway.

From the Albula main route va-

Moritz strahlen verschiedene Zweiglinien nach allen Richtungen aus. Gleichzeitig mit der Strecke Chur–Thusis wurde die Verbindung nach Landquart zum Anschluss an die Davoser Linie eröffnet. 1903 wurde die Linie im Vorderrheintal bis Ilanz und 1912 bis Disentis fertig. Zuletzt konnte 1913 die Unterengadiner Linie nach Schuls-Tarasp in Betrieb genommen werden. Auch sie hätte verlängert werden sollen, und zwar nach Landeck an der Arlbergbahn, doch war nach 1914 nicht mehr daran zu denken.

Die angegliederten Bahnen

In Graubünden hat sich im Kleinen die Entwicklung des Eisenbahnnetzes der Schweiz wiederholt: am Anfang war der private Bahnbau (Landquart–Davos), dann kam die Staatsbahn zustande - wobei die Privatgesellschaften aber weiterhin tätig blieben -, und schliesslich gingen auch diese in der Staatsbahn auf. Im Gegensatz zu den SBB, welche aus einem Zusammenschluss bereits weitgehend fertiggestellter Bahnen hervorgingen, oblag der Rhätischen Bahn die grosse Aufgabe, ihre wichtigsten Linien selbst zu bauen.

Diese Entwicklung ging in folgenden Etappen vor sich: Die 1895 mit massgeblicher Beteiligung des Kantons gegründete Rhätische Bahn übernahm sogleich die Landquart–Davos-Bahn und widmete sich in der Folge dem Bau des bereits erwähnten Netzes. In den Jahren 1908–1910 erstellte die private *Berninabahn* die vorwiegend dem Tourismus dienende Linie St. Moritz–Tirano. Ende 1914 nahm die ebenfalls private *Chur–Arosa-Bahn* ihren Betrieb auf. Diese beiden Bahnen verfügten über Gleisverbindungen mit der RhB; dies im Gegensatz zur 1907 eröffneten *Bellinzona–Mesocco-Bahn*, die im Süden des Kantons ein isoliertes Dasein fristete.

avec la ligne de la Valteline eut quand même lieu, même s'il ne s'agit que d'une ligne touristique.

A partir de la ligne de l'Albula Coire–Saint-Moritz se divisent plusieurs lignes secondaires qui vont dans toutes les directions. Le raccordement vers Landquart, avec correspondance pour la ligne de Davos, fut ouvert en même temps que la ligne Coire–Thusis. En 1903, la ligne de la vallée du Rhin antérieur fut terminée jusqu'à Ilanz et, en 1912, jusqu'à Disentis. Enfin, en 1913, la ligne de la basse Engadine pouvait être mise en service jusqu'à Schuls–Tarasp. Il y eut, bien entendu, projet de prolongement vers Landeck sur la ligne de l'Arlberg. Cependant, après 1914, on ne pouvait plus l'envisager.

Les lignes annexées

Dans les Grisons se retrouve en miniature le développement du réseau ferroviaire suisse. Au début eut lieu la construction de chemins de fer privés (Landquart–Davos), ensuite du réseau de l'Etat. A cette occasion, il faut noter que les sociétés privées continuèrent leurs activités pour finir par être aussi reprises par les Chemins de fer fédéraux (CFF). A l'encontre des CFF qui provenaient de la réunion de lignes de chemin de fer déjà plus ou moins établies, il incombait au RhB le soin de construire lui-même ses lignes les plus importantes.

Ce développement se fit selon les étapes suivantes: le RhB, fondé en 1895 avec une forte participation du canton, reprit aussitôt la ligne Landquart–Davos et se consacra par la suite à la construction du réseau prémentionné. Dans les années 1908–1910, le chemin de fer privé de la *Bernina* établit la ligne Saint-Moritz–Tirano servant surtout au tourisme. A la fin de 1914, le chemin de fer privé *Coire–Arosa* se mit également en service. Ces lignes étaient raccordées avec le réseau du RhB, à l'opposé de la li-

rious branches spread out in all directions. The section Chur–Thusis and the connection with the Davos line at Landquart were opened at the same time. In 1903, the line to Ilanz in the Vorderrheintal was completed and extended to Disentis by 1912. The last line to come into operation was the Unterengadine branch to Schuls–Tarasp in 1913. This line was planned to link up with the Arlberg Railway at Landeck, but after 1914 it had to be scrapped with all other projects for extension.

Incorporated Lines

The development of the railway network on Switzerland has repeated itself on a smaller scale in the Grisons: at the beginning construction was on a private basis (Landquart–Davos), then the public railway was built - the private companies, however, remaining in operation -, and eventually these private lines were incorporated into the federal railway. Unlike the SBB, which came into being by an amalgamation of more or less completed railways, the Rhaetian Railway had to face the task of itself constructing its more important lines.

This development took place in several stages: Founded in 1895 with a considerable contribution from the Canton, the RhB immediately took over the Landquart–Davos Railway and then set out to build the network already mentioned. Between 1908 and 1910, the private *Bernina Railway* constructed the line St Moritz–Tirano, which was primarily envisaged as a tourist railway. At the end of 1914, the *Chur–Arosa Railway* came into operation as a private enterprise, too. Both companies had linked up their lines with the Rhaetian Railway, whereas the *Bellinzona–Mesocco Railway,* opened in 1907, was completely isolated in the southern part of the Canton.

The economic crisis and the fol-

Die Notlage, in welche all diese Bahnen im Laufe der Wirtschaftskrise und der nachfolgenden Kriegsjahre gerieten, erforderte eine umfassende Sanierungsaktion mit Bundeshilfe. In diesem Rahmen wurde ausserdem die Eingliederung der Privatgesellschaften in die Rhätische Bahn bewerkstelligt: 1942 fusionierten die Chur–Arosa-Bahn und die Bellinzona–Mesocco-Bahn mit der RhB, und 1943 folgte die Berninabahn.

Es war ein glücklicher Umstand, dass die Linien der RhB in jener hoffnungsfreudigen und unternehmungslustigen Epoche vor 1914 vollendet oder zumindest begonnen worden waren, sonst verfügte Graubünden heute nicht über 394 km Schmalspurbahnen in teilweise ziemlich verkehrsarmen Talschaften. Dass eine Reihe von Projekten nicht verwirklicht wurde, mögen Eisenbahnfreunde bedauern; die für die Kantons- und Bundesfinanzen Verantwortlichen denken allerdings anders, denn all diese Projekte wären mit ausserordentlich hohen Baukosten verbunden gewesen, und sie hätten wohl kaum rentiert oder wären sogar mit Sicherheit unrentabel gewesen.

Eine der angegliederten Bahnen hat inzwischen ein Schicksal erlebt, das nun doch endgültig besiegelt ist. Es handelt sich um die Linie Bellinzona–Mesocco, die schon zur Zeit ihrer Übernahme durch die RhB im Jahr 1942 technisch veraltet war. Ihr Ausgangspunkt weit abseits des SBB-Bahnhofs Bellinzona hätte nur mit übergrossem Aufwand an einen andern Ort verlegt werden können. Der Nationalstrassenbau im Misox bedrängte die Bahn an verschiedenen Stellen, und schliesslich richtete ein Unwetter im August 1978 solchen Schaden an, dass die RhB die schon seit 1972 nur noch dem Güterverkehr dienende Linie kurzerhand zwischen Cama und Mesocco stillegte und später demontierte. Ob der zwischen Castione und Grono vor allem für die dort ansässige Industrie - zum Teil

gne *Bellinzona–Mesocco,* ouverte en 1907, qui menait une existence isolée dans le sud du canton.

La crise économique et les années de guerre qui s'ensuivirent laissèrent ces lignes de chemin de fer en état de détresse, si bien qu'un vaste programme d'assainissement par l'Etat s'avéra nécessaire. C'est dans ce cadre que s'effectua entre autres l'annexion des sociétés privées au RhB: les lignes Coire–Arosa et Bellinzona–Mesocco se fusionnèrent au RhB en 1942 et le chemin de fer de la Bernina suivit en 1943.

D'heureuses circonstances voulurent que les lignes du réseau du RhB aient été terminées ou du moins commencées avant 1914, à une époque pleine d'espoir et d'esprit d'initiative; autrement, les Grisons ne disposeraient pas d'un réseau de lignes à voie étroite de 394 kilomètres, dans des régions de vallées ayant pour la plupart un faible trafic. Les amateurs de trains regretteront peut-être qu'une série de projets ne se soient pas réalisés. Les responsables des finances aux niveaux cantonal et fédéral pensent différemment car l'ensemble de tous ces projets aurait représenté des coûts de construction élevés et une rentabilité peu probable, ou encore plus une non-rentabilité presque certaine.

Une des lignes annexées est arrivée entre-temps à une fin pénible. Il s'agit de la ligne Bellinzona–Mesocco qui, déjà au moment de sa prise en charge par le RhB en 1942, se trouvait techniquement dans un état périmé déplorable. Etant située bien à l'écart de la gare CFF de Bellinzona, le déplacement de son point de départ en un lieu plus propice aurait été très problématique. La construction des routes nationales dans la vallée de Mesocco resserrait déjà la ligne à plusieurs endroits. Finalement, en août 1978, un orage causa de tels dégâts que le RhB dut subitement fermer la ligne entre Cama et Mesocco. Depuis 1972, elle n'avait plus servi qu'au

lowing war years hit all these lines very hard, and their critical situation called for extensive support aided among others by the Government. It was under these circumstances that the private railway companies were incorporated into the RhB: in 1942, the Chur–Arosa Railway and the Bellinzona–Mesocco Railway were integrated into the RhB, and the Bernina Railway followed suit in 1943.

It was fortunate that all the RhB lines were completed or at least under construction in that period full of hope and initiative before 1914, otherwise the Grisons would not have 394 kilometers of narrow gauge railway in valleys with a rather poor traffic density. Railway enthusiasts may regret that numerous projects have not been carried out; those responsible for the cantonal and federal finances, however, think differently, for all these plans would have cost an enormous amount of money, and they would probably not have proved profitable, on the contrary, they would almost certainly have been unprofitable.

One of these incorporated railways, the Bellinzona–Mesocco line, has in the meantime met with a fate which has now definitely been sealed. It had already been technically obsolete when the RhB took it over in 1942. Its point of departure far away from the Bellinzona SBB station could not have been relocated at a more suitable site without a vast expenditure of money. The construction of the motorway through the valley of Mesocco affected the line in various places. Moreover, a bad thunderstorm in August 1978 caused such extensive damage that the RhB there and then closed down and later dismounted the line between Cama and Mesocco, which, since 1972, had only served for goods traffic anyway. Today goods traffic on the section Castione–Grono is still maintained, mainly for local industry. The responsible federal authorities have propo-

mit Rollschemeln – aufrechterhaltene Güterverkehr auf einem von Bundesstellen empfohlenen Normalspurgleis bis Grono auf einfachere Art abgewickelt werden soll, hängt vom erforderlichen Bauaufwand und der Prognose für die industrielle Entwicklung in diesem Tal ab (Firma Monteforno in Val Moesa).

Die Spurweite

Es gibt immer wieder Graubünden-Reisende, die sich darüber wundern oder ärgern, dass sie in Landquart oder Chur umsteigen müssen. Sie übersehen aber einfach den Spurweiten-Unterschied von 43,5 cm, was insofern begreiflich ist, als die Personenwagen der SBB und der RhB sich nur wenig voneinander unterscheiden. Hier wie dort sitzen in der 1. Klasse drei, in der 2. Klasse vier Personen nebeneinander, und die Innenausstattung ist zum Verwechseln ähnlich.

Umsteigen und Umladen sind ein bedeutendes Handicap, besonders bei einem so regen Austausch von Reisenden und Gütern, wie er sich zwischen SBB und RhB abspielt. Es müssen somit schwerwiegende Argumente zugunsten der Schmalspur vorgelegen haben, als es darum ging, die Spurweite zu wählen. Beiläufig sei erwähnt, dass die Eisenbahnkonzessionen in den ersten Jahrzehnten des Bahnbaus nur die Normalspur von 1435 mm vorsahen; aus diesem Grund sind noch die beiden Rigibahnen mit der für Bergbahnen heute wenig üblichen Normalspur erbaut worden.

Die im Jahr 1887 als «normale» Schmalspur festgelegte Meterspur bot für den Bahnbau in einer derart eisenbahnfeindlichen Topographie, wie sie in Graubünden vorherrscht, in erster Linie finanzielle Vorteile. Die kleineren Kurvenradien erlauben ein besseres Anschmiegen des Bahntrassees an die Bodengestalt

transport des marchandises; quelque temps plus tard, on la démonta. Quant à la ligne de transport de marchandises encore en service entre Castione et Grono, elle sert surtout à l'industrie locale, employant en partie des trucks-porteurs. Il reste à savoir si une ligne à voie normale, selon les recommandations de l'autorité fédérale compétente, peut être facilement réalisée jusqu'à Grono. Tout dépend des besoins nécessaires à sa construction et des pronostics ayant trait au développement de l'industrie dans la vallée (Société Monteforno à Val Moesa).

L'écartement des rails

Le fait de devoir changer de train à Landquart ou à Coire continue à provoquer l'étonnement, voire l'agacement chez certains voyageurs séjournant dans les Grisons. Ils ne remarquent pas la différence d'écartement de 43,5 cm, d'autant plus que très peu de chose différencie les wagons des CFF de ceux du RhB. De part et d'autre, une rangée comprend trois sièges en première classe et quatre en seconde, sans parler de la décoration intérieure, semblable à s'y méprendre. Le changement de train et le transbordement constituent un handicap considérable étant donné un tel mouvement de voyageurs et de marchandises, comme c'est le cas entre les CFF et le RhB. On peut supposer que les arguments en faveur de la voie étroite ont pesé très lourd au moment du choix de l'écartement des rails. Mentionnons en passant que pendant les premières décennies de la construction des chemins de fer, les concessions ferroviaires n'avaient prévu que la voie normale de 1435 mm; c'est pourquoi les deux trains du Rigi furent encore construits pour voie normale, ce qui est assez inhabituel de nos jours pour les chemins de fer à crémaillère.

Pour la topographie mouvementée qui règne dans les Grisons, la voie

sed the construction of a standard gauge line as far as Grono to simplify the traffic, which in part still has to be carried out by bogie trucks. Whether this plan is executed or not will depend on the necessary construction work and the forecast for the industrial development in the valley (Monteforno Company in Val Moesa).

Gauge

Travellers to the Grisons are frequently surprised or annoyed at the fact that they have to change at Landquart or Chur. They simply do not notice the difference in gauge (43.5 cm), which is understandable since the passenger cars of the SBB hardly differ from those of the RhB. In both car types, there are three adjacent seats in the first class and four in the second, and the interiors are deceptively alike.

Changing and transshipping represent a significant handicap, especially for the SBB and the RhB, which both have to cope with a heavy passenger and goods traffic. There must have been weighty arguments in favour of narrow gauge when the RhB had to decide on the gauge. It is interesting to note that the railway concessions granted in the first decades of railway construction were limited to standard gauge (1435 mm). For this reason, even the two mountain railways up the Rigi used standard gauge, nowadays rather uncommon for this type of railway.

The meter gauge, which in 1887 was considered as "standard" narrow gauge, offered primarily financial advantages for the construction of a railway under difficult topographic conditions, as is the rule in the Grisons. The shorter radii enable the track to follow the topography more closely and they significantly cut down the construction cost for bridges and tunnels. The narrow width reduces the

und damit bedeutende Ersparnisse bei den Kunstbauten. Das kleinere Lichtraumprofil verbilligt das Erstellen der zahlreichen Tunnels. Die Höchstgeschwindigkeit von heute 90 km/h bei Meterspur liegt zwar erheblich unter den Möglichkeiten der Normalspur, doch hätten die vielen Kurven auch bei einer normalspurigen RhB keine spürbar höheren Geschwindigkeiten gestattet. Die Leistungsfähigkeit einer Schmalspurbahn ist erstaunlich gross und genügt jedenfalls den Bedürfnissen einer dünn besiedelten, kaum industrialisierten Gegend.

Dieser Umstand hat gerade in den letzten Jahrzehnten eine deutliche Bestätigung erfahren, als gewaltige Gütertransporte für die Kraftwerkbauten im Gebirge zu bewältigen waren. Mit der Einführung des Rollschemelbetriebs und dem Legen einer dritten Schiene für Normalspur auf geeigneten Teilstrecken, aber auch mit dem Aufkommen des mechanisch umladbaren Containers kamen bedeutende Erleichterungen für den durchgehenden Gütertransport zustande. Die Meterspur kam auch für die anschliessenden Bahnen Furka–Oberalp (1926), Schöllenen (1917) und Brig–Visp–Zermatt (1891) zur Anwendung, so dass beispielsweise die Wagen des «Glacier-Express» ohne weiteres von St. Moritz nach Zermatt rollen können.

Der elektrische Betrieb

Ein entscheidendes Ereignis in der Geschichte der Rhätischen Bahn war die Einführung des elektrischen Betriebs. Als 1896–1904 die Albulalinie erbaut wurde, war die elektrische Bahntraktion noch nicht so weit entwickelt, dass man sie hätte in Betracht ziehen können. Es existierten erst elektrische Strassen- und Überlandbahnen sowie einige Bergbahnen. Anders war dann die Situation beim Bau der Unterengadiner Linie

étroite d'un mètre, considérée en 1887 comme «normale», présentait en premier lieu des avantages financiers pour la construction ferroviaire. Les rayons de courbe plus faibles permettent au tracé de mieux adhérer à la forme du sol, d'où économie considérable des travaux d'art. L'espace libre plus étroit diminue le coût des nombreux tunnels. Pour la voie d'un mètre, la vitesse maximale est aujourd'hui de 90 km/h, soit bien inférieure aux possibilités de la voie normale. Cependant, même pour une voie normale RhB, les multiples courbes n'auraient pas permis une vitesse sensiblement plus grande. La capacité de rendement d'une ligne à voie étroite est étonnamment importante et suffit de toute façon aux exigences d'une région peu peuplée et à peine industrialisée.

Cette situation a justement été nettement confirmée au cours des dernières décennies alors que d'énormes transports de marchandises durent être effectués pour la construction de centrales hydro-électriques en montagne. Le transport des marchandises en transit fut grandement facilité par l'introduction des trucks-porteurs et la mise en place d'un troisième rail pour voie normale sur certaines sections, ainsi que par l'apparition des containers à transbordement mécanique. On utilisa également la voie d'un mètre pour les lignes de correspondance Furka–Oberalp (1926), Schöllenen (1917) et Brigue–Visp–Zermatt (1891), de telle sorte que les voitures du «Glacier-Express» peuvent tout simplement rouler de Saint-Moritz jusqu'à Zermatt.

L'électrification

Un événement décisif dans l'histoire du Chemin de fer Rhétique fut l'installation du réseau électrique. Au moment de la construction de la ligne de l'Albula (1896–1904), la traction électrique n'était pas encore assez dé-

expense of building the numerous tunnels. The maximum speed on meter gauge stands at 90 kph today. Although this is considerably lower than standard gauge would allow, the many curves would have prevented a remarkably higher speed even if the RhB had been standard gauge. The capacity of a narrow gauge railway is surprisingly high, and in any case meets the requirements of a thinly populated and hardly industrialized region.

This has been confirmed during the last few decades when the RhB has had to cope with the transport of an enormous amount of construction material for the power stations in the mountains. Goods traffic has been significantly simplified by the introduction of bogie trucks and by the addition of a third rail for standard gauge on certain sections, as well as by the increasing use of mechanically handled containers. The connecting lines of the Furka–Oberalp Railway (1926), the Schöllenen Railway (1917) and the Brig–Visp–Zermatt Railway (1891) are also meter gauge, which, for example, allows cars of the "Glacier-Express" to run between St Moritz and Zermatt with no difficulty.

Electrification

A decisive event in the history of the RhB was the electrification of its network. When the Albula line was built between 1896 and 1904, electric traction had not yet been developed to such a degree that it could have been considered as feasible. As yet there were only electric streetcars and interurban tramways and several mountain railways. The situation was, however, different when the Unterengadine line was constructed after 1910. The trial runs between Seebach and Wettingen (1904–1909) with the new monophase low-frequency alternating current system had been successfully completed, and those

nach 1910. Damals waren die Versuche auf der Linie Seebach–Wettingen (1904–1909) mit dem neuen Einphasenwechselstromsystem niedriger Frequenz mit Erfolg abgeschlossen worden, und der mit dem gleichen Stromsystem durchgeführte Versuchsbetrieb Spiez–Frutigen hatte sich ebenfalls seit 1910 bewährt. Und so entschloss sich die RhB dazu, die 1913 eröffnete Linie St. Moritz–Schuls von Anfang an elektrisch mit Einphasenwechselstrom von 11000 Volt und 16⅔ Hertz zu betreiben. Die Spannung war etwas niedriger als die 15000 Volt bei der Lötschbergbahn – und ab 1919 bei den SBB –, was das Isolationsproblem in den engen Tunnels erleichterte. Man kann aber trotzdem sagen, RhB und SBB besässen das gleiche elektrische System und gehörten damit zum grossen europäischen Bahnstromsystem mit niederfrequentem Einphasenwechselstrom. Dies wirkt sich in der Folge insofern praktisch aus, als die RhB die Möglichkeit hat, bei Störungen ihrer eigenen Stromversorgung den Fahrstrom über einen Transformator von den SBB zu beziehen. Ausserdem können SBB-Triebfahrzeuge – mit leicht verminderter Leistung – mit RhB-Strom von Chur nach Domat/Ems fahren, was zum Beispiel bei den Güterzügen zu den Emser Werken der Fall ist. Das gleiche Stromsystem ist übrigens auch bei den anschliessenden Bahnen Furka–Oberalp und Brig–Visp–Zermatt im Gebrauch.

Der elektrische Betrieb im Unterengadin bewährte sich so vorzüglich, dass die RhB in den Jahren 1919–1922 auch ihre übrigen Linien elektrifizieren konnte. Damit war die RhB in der Lage, auch in den Jahren empfindlichen Kohlenmangels ihre Leistungen im Dienste des Kantons ungeschmälert aufrechtzuerhalten.

Bei den übrigen Bündner Eisenbahngesellschaften verlief die Entwicklung anders. Zur Zeit ihrer Eröffnung zwischen 1907 und 1914 bot sich

veloppée pour qu'on ait pu la prendre en considération. Tout d'abord, il n'y eut des lignes électriques que pour les tramways et les chemins de fer interurbains, ainsi que pour quelques chemins de fer à crémaillère. Après 1910, la situation fut tout autre lors de la construction de la ligne de la basse Engadine. Les essais de Seebach–Wettingen (1904–1909) sur le système de courant alternatif monophasé à basse fréquence avaient été conclus avec succès; l'installation d'essai Spiez–Frutigen dotée du même système de courant avait fait ses preuves depuis 1910. Dès son ouverture en 1913, le chemin de fer RhB se décida par conséquent pour une exploitation électrique de la ligne Saint-Moritz–Schuls, au moyen d'un courant alternatif monophasé de 11000 volts et de 16⅔ hertz. La tension était un peu plus réduite que pour la ligne du Lötschberg (15000 volts) – et pour les CFF à partir de 1919 –, ce qui facilitait le problème de l'isolation dans les tunnels étroits. Tout de même, on peut dire que le RhB est électrifié avec le système des CFF et se rallie en conséquence au grand système européen, employant le courant alternatif monophasé à basse fréquence. Pour le RhB, le résultat pratique est de pouvoir se brancher sur le courant de traction des CFF au moyen d'un transformateur, en cas de dérangement de son propre service de courant. Il en est de même pour les automotrices des CFF ayant la possibilité de circuler entre Coire et Domat/Ems avec le courant du RhB, moyennant une puissance légèrement réduite: les trains de marchandise destinés aux usines d'Ems en sont un exemple d'utilisation. Un système de courant identique est également utilisé pour les lignes de correspondance Furka–Oberalp et Brigue–Visp–Zermatt.

Le réseau électrique de la basse Engadine se révéla excellent, si bien qu'on put procéder à l'électrification des autres lignes du RhB dans les an-

between Spiez and Frutigen with the same system had been successful since 1910. Consequently, the RhB decided to run the St Moritz–Schuls line, opened in 1913, on monophase alternating current of 11,000 volts and 16⅔ cycles from the beginning. The tension was somewhat lower than the 15,000 volts on the Lötschberg line – and from 1919 on the SBB –, a fact which simplified the problem of insulation in the narrow tunnels. Nevertheless, it can be claimed that the RhB has the same electric system as the SBB and thus belongs to the widespread European railway electricity system with monophase low-frequency alternating current. Practically speaking, this enables the RhB to take the current via transformer from the SBB in case of a failure in its own power supply. Furthermore, SBB locomotives can run between Chur and Domat/Ems on RhB current, albeit with a slightly reduced performance. It is interesting to note that the Furka–Oberalp Railway and the Brig–Visp–Zermatt Railway make use of the same system.

The electric system in the Unterengadine proved so successful that the RhB introduced electrification on its other lines between 1919 and 1922. Thus the RhB was in a position to maintain its service without restriction to the good of the Canton even during the years of a severe scarcity of coal.

The other railway companies in the Grisons developed differently. At the time of their opening between 1907 and 1914, railways of this kind with comparatively light trains usually opted for the simple and unproblematic direct current system. The Chur–Arosa Railway, which was the last to come into operation, runs on a tension of 2400 volts, which even today is extraordinarily high for a branch line.

When these railways amalgamated with the RhB in 1942/43, it was discussed whether it would be possible

für Bahnen dieser Art mit verhältnismässig leichten Zügen das einfache und problemlose Gleichstromsystem an. Die zuletzt eröffnete Chur–Arosa-Bahn wurde mit einer für Nebenbahnen heute noch ungewöhnlich hohen Spannung von 2400 Volt elektrifiziert. Bei der Fusionierung dieser Bahnen mit der RhB in den Jahren 1942–1943 überlegte man sich, ob eine Vereinheitlichung der verschiedenen Stromsysteme durchführbar und zweckmäßig sei. Vor allem hätte die Umstellung der relativ kurzen Chur–Arosa-Bahn gewichtige betriebliche Vorteile erwarten lassen. Die hohen Kosten einer solchen Operation standen jedoch ihrer Verwirklichung im Weg.

Immerhin ist zwischen Chur–Arosa- und Bernina-Bahn eine gewisse «Zusammenarbeit» möglich. Da ihre Fahrdrahtspannungen zufälligerweise im Verhältnis 2 : 1 zueinander stehen, können ihre Triebfahrzeuge mit verhältnismäßig einfachen Umschaltungen für den Verkehr auf beiden Linien eingerichtet werden. In der Praxis wird insofern davon Gebrauch gemacht, als eine Anzahl Bernina-Triebwagen älterer Bauart für beide Spannungen ausgerüstet ist; im Sommer verkehren sie auf der Berninalinie, im Winter helfen sie im Touristenverkehr nach Arosa aus. Ebenfalls möglich, und ausnahmsweise sogar recht üblich, war der Einsatz von Chur–Arosa-Triebwagen auf der 1500 Volt-Linie Bellinzona–Mesocco.

nées 1919–1922. C'est ainsi que, même pendant les sombres années de pénurie de charbon, le RhB fut en mesure de maintenir son rendement au service du canton, sans diminution aucune.

Les autres sociétés ferroviaires des Grisons connurent un développement divergent. Au moment de leur ouverture entre 1907 et 1914, le système à courant continu se présentait comme simple et sans problème pour les lignes de ce genre avec des trains relativement légers. La ligne Coire–Arosa, ouverte en dernier lieu, fut électrifiée avec une haute tension de 2400 volts, ce qui est encore inhabituel de nos jours pour une ligne secondaire.

Lors de la fusion de ces lignes de chemin de fer avec le RhB dans les années 1942–43, on se demandait si une uniformisation des différents systèmes électriques était réalisable et utile. C'est surtout la transformation de la ligne Coire–Arosa relativement courte qui aurait laissé espérer d'importants avantages d'exploitation. Le coût élevé d'une telle opération s'opposa pourtant à sa réalisation.

Une «collaboration» partielle entre en jeu, au moins pour la ligne Coire–Arosa et celle de la Bernina. Comme les tensions du fil de contact ont par hasard une relation 2 : 1 de l'une à l'autre, on peut ajuster leurs automotrices pour la circulation sur une ligne aussi bien que sur l'autre, au moyen de commutateurs relativement simples. Dans la pratique, on fait usage de ce procédé dans la mesure où un certain nombre d'automotrices de la Bernina, de construction plus ancienne, sont équipées pour les deux tensions. En été, elles circulent sur la ligne de la Bernina, en hiver, elles prêtent assistance au transport pour les sports d'hiver vers Arosa. L'utilisation des automotrices (1500 volts) de Coire–Arosa sur la ligne Bellinzona–Mesocco était également possible et, exceptionnellement, employée.

and useful to standardize the different current systems. This would have brought tremendous operational advantages for the relatively short Chur–Arosa Railway. However, the high cost of such a project prevented it from being carried out.

At least the Chur–Arosa and the Bernina lines are able to "co-operate" to a certain extent. As the tensions of their contact wires happen to be in a relation of 2 : 1, their engines can be comparatively easily adapted to running on both lines. In fact a number of older locomotives of the Bernina Railway are equipped for both tensions. In summer they run the Bernina line, in winter they render assistance in the heavy seasonal traffic to Arosa. Locomotives of the Chur–Arosa Railway could also be used on the 1500 volts line Bellinzona–Mesocco, and indeed this was frequently the case.

Die Modernisierung

Ein weiterer Schritt in der technischen Entwicklung folgte in den Jahren 1950–1970, als es dank Bundeshilfe möglich wurde, das Rollmaterial weitgehend zu erneuern und die Stellwerkanlagen auszubauen. Für den Bahnbenützer am augenfälligsten waren die neuen Triebfahrzeuge und Personenwagen, die als Ergänzung oder als Ersatz für die alten Lokomotiven mit Stangenantrieb und für die hölzernen zwei- und vierachsigen Personenwagen in immer grösserer Zahl auf dem Netz erschienen.

Zwischen 1947 und 1953 wurden zehn Drehgestell-Lokomotiven Ge 4/4 in Betrieb genommen, die etwa den Re 4/4 I der SBB entsprechen; dann folgten 1958–1965 sieben sechsachsige Ge 6/6, ähnlich den Ae 6/6 der SBB, aber mit drei zweiachsigen anstelle von zwei dreiachsigen Drehgestellen. Der Triebwagenpark der Bernina- und der Arosa-Linie wurde praktisch vollständig erneuert, und 1971 erschienen moderne Pendel-Triebzüge für den Vorortverkehr Schiers–Chur–Thusis. In den Jahren 1972–1974 folgten dann zehn weitere Ge 4/4-Lokomotiven einer noch leistungsfähigeren Bauart sowie zusätzliche Triebwagen für die Arosa- und die Bernina-Linie. Zwei nach Belieben mit Dieselmotor oder mit Gleichstrom von 1000 Volt ab Fahrdraht betriebene Lokomotiven springen bei Störungen in der Stromversorgung ein oder helfen auf der Berninalinie als Zug- oder Schneeräumlokomotiven aus.

Bei den Lokomotiven ist hauptsächlich im elektrischen Teil Neuland beschritten worden. Die «Thyristoren» (steuerbare Gleichrichter) haben die elektromechanischen Stufenschalter abgelöst; sie bringen Einsparungen im Unterhalt, nützen die Adhäsion optimal und überraschen den Reisenden durch die stufenlose Be-

La modernisation

Une autre étape du développement technique se produisit dans les années 1950–1970, au moment où l'aide fédérale rendit possible un remplacement considérable du matériel roulant et l'achèvement des postes d'aiguillage. L'attention des voyageurs était surtout attirée par les nouvelles automotrices et les wagons qui apparurent sur le réseau, en nombre de plus en plus grand, pour compléter ou remplacer les vieilles locomotives à commande à bielles et les wagons en bois à deux ou quatre essieux.

De 1947 à 1953, dix locomotives à bogies Ge 4/4 furent mises en service, correspondant à peu près aux Re 4/4 des CFF; puis, de 1958 à 1965, suivirent sept locomotives Ge 6/6 à six essieux semblables aux Ae 6/6 des CFF, mais avec trois bogies à deux essieux au lieu de deux à trois essieux. Le parc des automotrices des lignes de la Bernina et d'Arosa fut pratiquement remplacé au complet et, en 1971, les trains automoteurs modernes firent leur apparition pour le service de banlieue entre Schiers, Coire et Thusis. Dans les années 1972–74, le RhB reçut dix autres locomotives Ge 4/4 d'un type de construction à plus haut rendement encore et des automotrices additionnelles pour les lignes de la Bernina et d'Arosa. Deux locomotives, fonctionnant soit avec un moteur Diesel soit à courant continu de 1000 volts, prêtent assistance lors de dérangements de courant ou volent au secours de la ligne de la Bernina comme locomotives avec chasse-neige.

Pour les locomotives, c'est surtout le domaine électrique qui représente un terrain de découverte. Les «thyristors» (redresseurs contrôlables) ont remplacé le commutateur à séquentiel électro-mécanique. En plus d'apporter une économie d'entretien, ils utilisent l'adhésion de façon optimale et surprennent agréa-

Modernization

A further step in technological progress was made between 1950 and 1970, when financial support from the Government enabled the RhB to replace a great deal of its rolling stock and to bring its signal boxes up to date. Travellers were particularly struck by the new locomotives and passenger cars, which were introduced in increasing numbers to complete or replace the old rod-driven engines and the two and four axle wooden passenger cars.

Between 1947 and 1953, the RhB acquired ten Ge 4/4 bogie locomotives, similar to the SBB Ae 4/4 type. Between 1958 and 1965, seven six axle Ge 6/6 locomotives followed, roughly corresponding to the SBB Ae 6/6 engines, but with three two axle bogies instead of two with three axles. The locomotive stock of the Bernina and Arosa lines was almost completely replaced, and in 1971, modern motorcoach trains of the push-pull type appeared on the local line Schiers–Chur–Thusis. Between 1972 and 1974, a further ten Ge 4/4 locomotives of an even more powerful type were brought into service as well as additional engines for the Arosa and Bernina lines. Two locomotives, interchangeably driven either by diesel or 1000 volts direct current, are used in case of power failures, or they can help out on the Bernina line as traction engines or snow-ploughs.

To a large extent the electric locomotives have been highly innovative. The electromechanical step switches have been replaced by "thyristors" (controllable rectifiers), which not only reduce maintenance costs and make best use of adhesion, but are also greatly appreciated by passengers for their smooth accelera-

schleunigung. Den zehn Lokomotiven folgten ab 1984 weitere 13 Maschinen ähnlicher Bauart, die durch ihren leuchtend roten Anstrich auffallen.

In gleicher Weise wurde der Schnellzugswagenpark durch Anschaffung grösserer Serien von Leichtstahl- und Leichtmetallwagen modernisiert. Grossräumige vierachsige Güterwagen wurden in zunehmender Zahl eingesetzt; sie ermöglichen eine reibungslose Weiterbeförderung der in modernen Normalspurgüterwaggons eintreffenden Ladungen.

Bemerkenswert sind die 1983 erschienenen Einheitswagen Typ III, die vor allem im inzwischen legendär gewordenen «Bernina-Express» anzutreffen sind. Hier sind unter Mithilfe eines Designers ästhetisch ansprechende und gleichzeitig pflegeleichte und von den Launen der Mode unabhängige Innenausstattungen entstanden, die weit herum zum besten zählen, was die Eisenbahn ihren Kunden anzubieten hat.

So lustig es auch sein mag, bei gutem Wetter die Berninalinie im offenen «Aussichtswagen» auf Güterwagenuntergestellen zu bereisen, so erholsam gestaltet sich der Aufenthalt in den grossfenstrigen, in beiden Klassen mit Möbelstoff bezogenen Einzelstühlen dieser Komfortwagen, die aussen am braunen Anstrich zu erkennen sind.

Modernstes Rollmaterial, neuzeitliche Sicherungs- und Fernsteueranlagen, ein gut ausgebauter Fahrplan und nicht zuletzt eine zielbewußt arbeitende Unternehmensleitung haben die Rhätische Bahn zu einem Verkehrsmittel gemacht, das zuversichtlich in die Zukunft blicken darf.

Seit 1982 wird der kombinierte Verkehr Schiene/Strasse mit dem Instrument der «Wechselpritschen» mit Nachdruck gepflegt. Ihr einfacher Umlad vom Schienen- auf das Strassenfahrzeug und umgekehrt hat die

blement le voyageur par la douceur de leur accélération. A partir de 1984, les dix premières machines furent suivies de 13 autres modèles de construction semblable qui attirent l'attention par leur couleur rouge écarlate.

De la même façon, on modernisa le parc des voitures pour train express en se procurant un grand nombre de wagons en acier et en métal léger. Les wagons de marchandises de grande capacité, à quatre essieux, deviennent de plus en plus nombreux et permettent une réexpédition sans entraves des chargements arrivant des wagons de marchandises à voie normale.

Les wagons standardisés type III datant de 1983 sont dignes d'intérêt; on les rencontre surtout sur le «Bernina Express» devenu entre-temps déjà légendaire. La collaboration d'un désigner a rendu possible la création de décors intérieurs à la fois esthétiques, faciles d'entretien et indépendants des humeurs de la mode. Ils représentent encore ce que le chemin de fer a de mieux à offrir à ses clients.

Par beau temps, il peut être amusant de voyager sur la ligne de la Bernina dans le «wagon panoramique» ouvert qui se trouve posé sur le châssis d'un wagon de marchandise. Mais combien reposant s'avère le trajet dans un de ces wagons confortables à larges baies vitrées que l'on retrouve dans les deux classes, avec des fauteuils individuels recouverts de tissu. A l'extérieur, on les reconnaît à la couleur marron qui caractérise leur partie supérieure.

Un matériel roulant récent, des installations de sécurité et de télécommande modernes, un horaire bien conçu et enfin une direction d'entreprise dynamique ont fait du RhB un moyen de transport qui peut se permettre de regarder le futur avec confiance.

Depuis 1982, un soin intensif est apporté au transport combiné rail/route à l'aide d'un nouvel instrument

tion. Since 1984 another 13 locomotives of similar construction have been added to the original 10 units. Their bright red paintwork makes them unmistakable.

Similarly, the RhB replaced its stock of express passenger cars with a considerable number of lightweight steel and alloy cars. Spacious four axle goods wagons were used in increasing numbers; they can easily handle the further transportation of goods arriving in standard gauge goods wagons.

The standard Type III coaches, which were brought into service in 1983, are mainly used for the legendary "Bernina Express". They are a masterpiece of design, combining an aesthetically pleasing appearance which will not date with easy-to-clean functionality. They are still classed among the best of what any railway has to offer.

While travelling on the Bernina line in the open "panoramic car" (fitted on the frame of a goods car) can be great fun in good weather, these type III coaches certainly offer the customer much more comfort: large windows and separate seats, which are covered with fabric in both classes.

Modern rolling stock, up-to-date security and remote control systems, a well-planned time-table together with a dynamic management have made the RhB an enterprise which can face the future with great confidence.

Since 1982 combined rail/road traffic has increasingly been carried out by means of "mobile platforms". Their simple transfer from rail to road and vice versa has gained the customers' approval and brought goods traffic back to the railway.

Finally let us consider two plans for the future. The connection between the Unterland (north of Chur) and the Unterengadine, today rather complicated due to a long detour via Samedan, may be shortened by a tun-

Verlader überzeugt und verlorenen Güterverkehr für die Bahn zurückgewonnen.

Zum Schluss noch etwas Zukunftsmusik. Die Verbindung vom Unterland ins Unterengadin, die heute durch den Umweg über Samedan erschwert wird, soll durch einen Tunnel von Klosters nach Lavin verkürzt werden. Die oberste Landesbehörde ist zur Zeit damit beschäftigt, dieses RhB-Projekt mit einem dem gleichen Ziel dienenden Strassenprojekt am Flüelapass zu vergleichen. Der 19,9 km lange Eisenbahntunnel würde natürlich auch Autotransporte auf Spezialwaggons erlauben.

Dann hat die Region Puschlav angesichts des steten Bevölkerungsrückgangs einen Berninatunnel zwischen Poschiavo und Pontresina vorgeschlagen, der 21 km lang wäre und 220 Mio. Franken kosten würde. Der Bundesrat wird auch hier entscheiden müssen, ob er die Förderung peripherer Landesgegenden auf diese Weise und mit einem solchen Aufwand zu unterstützen gedenkt.

Die Einsatzfreude des Unternehmens wird der Öffentlichkeit durch verschiedene Neuerungen bewusstgemacht; zu erinnern ist an den «Bernina Express», den 1985 eingeführten «Engadin-Express», beide in Verbindung mit benachbarten ausländischen Bahnen geschaffen, und an die Beteiligung am langsamsten Schnellzug der Welt, am «Glacier-Express» St. Moritz – Zermatt.

de travail: le plateau de chargement mobile. Celui-ci a rendu possible la simplification du transbordement, du wagon de chemin de fer au véhicule routier et vice versa, convainquant les expéditeurs et faisant regagner au chemin de fer le trafic de marchandises qu'il avait perdu.

Enfin, encore deux visions pour l'avenir. Le raccordement entre les régions au nord de Coire et la basse Engadine, aujourd'hui rendu plus compliqué par le détour de Samedan, doit être raccourci grâce à un tunnel de Klosters à Lavin. Le conseil fédéral est occupé à comparer le projet du RhB avec un projet routier similaire sur le col de la Flüela. Le tunnel de chemin de fer d'une longueur de 19,9 km servirait évidemment aussi au transport des voitures sur wagons spéciaux.

Du fait de la diminution constante de la population, la région du Val Poschiavo a suggéré un tunnel à travers la Bernina de Poschiavo à Pontresina, d'une longueur de 21 km, dont le coût s'élèverait à 220 millions de francs. Le conseil fédéral devra aussi se décider sur ce point, à savoir s'il pense développer les régions périphériques de cette façon et moyennant les dépenses mentionnées.

Le public prend connaissance du dynamisme de l'entreprise grâce à diverses innovations. Rappelons le «Bernina Express», l'«Engadin Express» inauguré en 1985, tous deux créés en association avec des chemins de fers de pays étrangers avoisinants, ainsi que la participation à l'express le plus lent du monde, soit le «Glacier Express» Saint-Moritz – Zermatt.

nel from Klosters to Lavin. The Federal Council is at present comparing this RhB project with a road-project across the Flüela Pass. Of course, the 19,9 km tunnel would also allow car transport on special wagons.

Furthermore, in consideration of the constant depopulisation, the region of the Puschlav has proposed the construction of a 21 km tunnel through the Bernina between Poschiavo and Pontresina at a cost of 220 million francs. Here, too, the Federal Council will have to decide if it intends to support outlying regions in such a way and at such expenditure.

Various innovations constantly draw the public's attention to the dynamic management of the RhB. The "Bernina Express" and the "Engadin Express" (introduced in 1985) for example were both joint productions with neighbouring railways of other countries. The RhB is also part owner of the slowest express in the world, i.e. the "Glacier Express", which runs from St. Moritz to Zermatt.

I

I Personenzug Landquart–Davos in der Klus bei Felsenbach. Seit 1963 verläuft die Strecke hier im Tunnel, womit Raum für die Strasse gewonnen wurde.

Train omnibus Landquart–Davos dans la cluse de Felsenbach. Depuis 1963, un tunnel a été aménagé pour le chemin de fer afin que la route ait plus de place.

Landquart–Davos passenger train in the gorge near Felsenbach. Since 1963 this section of the line has run through a tunnel so as to give room for road widening.

II

II Gemischter Zug mit Mallet-Lok bei Küblis.

Train mixte avec locomotive Mallet près de Küblis.

Mixed passenger and freight train hauled by a Mallet locomotive, near Küblis.

III

III Eröffnungszug Landquart–Klosters vom 9. Oktober 1889 mit den Loks G 3/4 1 und 2 der Landquart–Davos-Bahn (LD). Im folgenden Jahr wurde der restliche Teil bis Davos vollendet.

Train inaugural Landquart–Klosters le 9 octobre 1889. Locomotives G 3/4 1 et 2 du chemin de fer Landquart–Davos (LD). L'année suivante, la ligne a été ouverte jusqu'à Davos.

The ceremonial train which opened the Landquart–Klosters line on October 9, 1889, hauled by locomotives Nos. 1 and 2, Type G 3/4, of the Landquart–Davos railway (LD). The last section of line was opened to Davos in the following year.

IV Talwärts auf der Albulabahn: Gemischter Zug mit G 4/5-Lok auf der Schmittentobelbrücke. Im Hintergrund der Landwasserviadukt.

Descente sur la ligne de l'Albula: train mixte et locomotive G 4/5 passant le pont de Schmittentobel. Au fond, le viaduc jeté sur la Landwasser.

Descending the Albula railway: mixed freight and passenger train with G 4/5 locomotive on the Schmittentobel bridge. The Landwasser viaduct can be seen in the background.

V

V Eröffnungszug Bever–Schuls vom 1. Juli 1913 mit Lok Ge 4/6. Es handelt sich gleichzeitig um die Eröffnung des elektrischen Betriebes bei der RhB (St. Moritz–Schuls-Tarasp und Samedan–Pontresina).

Train inaugural Bever–Schuls du 1er juillet 1913. Locomotive Ge 4/6. Il s'agissait aussi de l'inauguration de la traction électrique sur le réseau du RhB (St-Moritz–Schuls-Tarasp et Samedan–Pontresina).

Ceremonial train opening the route from Bever to Scuol (Schuls) on July 1st, 1913, hauled by a Ge 4/6 locomotive. This also marked the opening of the first electrified sections on the RhB (St. Moritz–Scuol-Tarasp and Samedan–Pontresina).

VI

VI Am 1. Juni 1922 verkehrte der erste Zug mit elektrischer Traktion von Reichenau nach Disentis. Lok Ge 6/6, Nr. 404.

Sur le tronçon Reichenau–Disentis, le premier train électrique a circulé le 1er juin 1922. Locomotive Ge 6/6, No. 404.

The first train to be hauled from Reichenau to Disentis by an electric locomotive (Type Ge 6/6, No. 404) on June 1st, 1922.

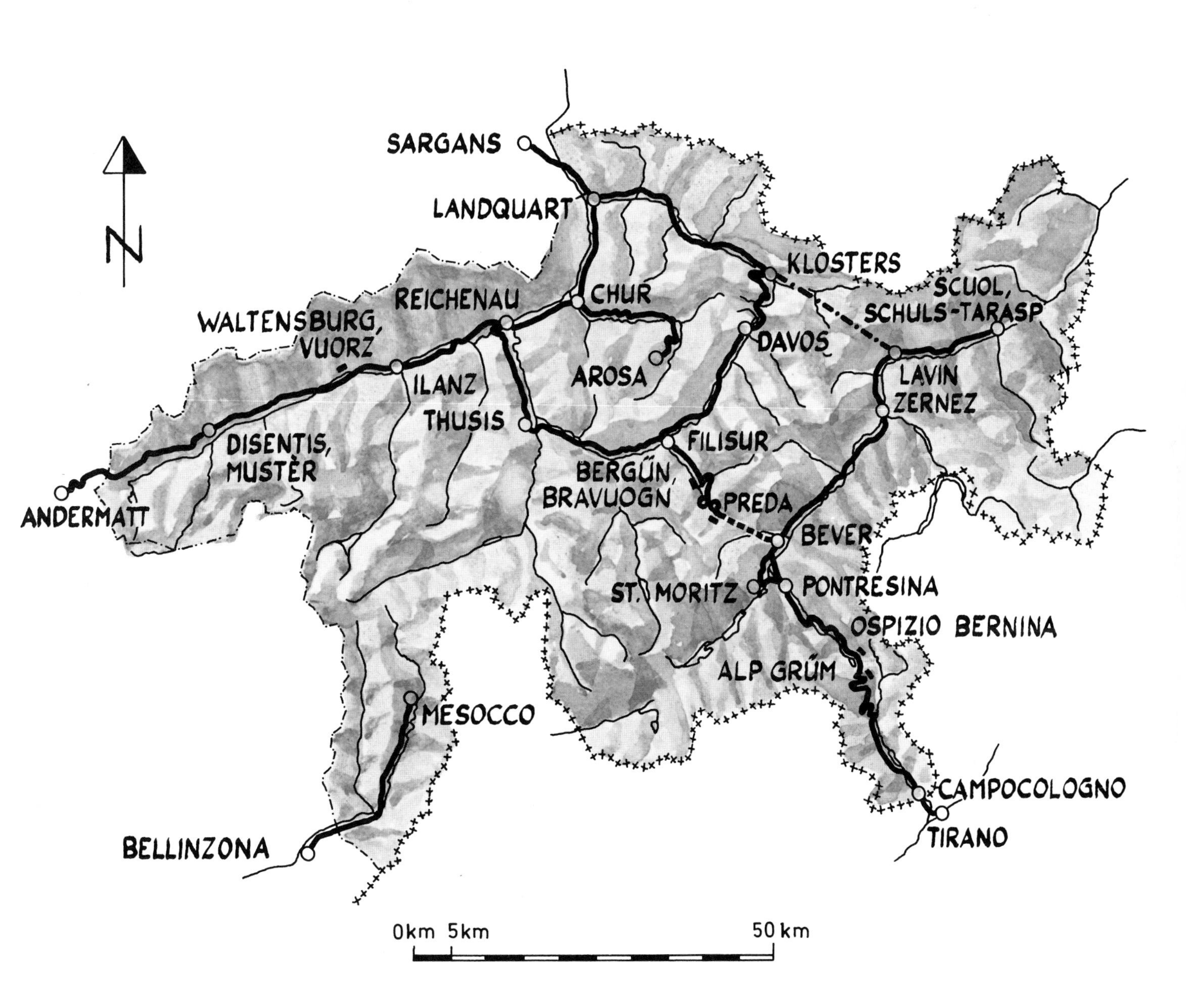

N
SARGANS
LANDQUART
KLOSTERS
SCUOL,
SCHULS-TARASP
CHUR
REICHENAU
WALTENSBURG,
VUORZ
DAVOS
AROSA
LAVIN
ZERNEZ
ILANZ
THUSIS
FILISUR
DISENTIS,
MUSTÈR
BERGÜN,
BRAVUOGN
PREDA
ANDERMATT
BEVER
ST. MORITZ
PONTRESINA
OSPIZIO BERNINA
ALP GRÜM
MESOCCO
CAMPOCOLOGNO
TIRANO
BELLINZONA
0km
5km
50 km

Stammnetz
Réseau principal
The Main Network

Strecke Tronçon Section	Eröffnet Ouverture Opened	Elektrifiziert Electrifié Electrified	Wechselstrom 16⅔ Hz Courant alternatif 16⅔ Hz Alternating Current 16⅔ Hz	Länge Longueur Length	Maximale Neigung Déclivité maximale Maximum gradient	Höchster Punkt Point culminant Highest point
Landquart–Davos	1889/90	1920/21	11000 V	51 km	45 ‰ (1 in 22)	1629 m
Landquart–Chur–Thusis	1896	1921	11000 V	41 km	25 ‰ (1 in 40)	701 m
Reichenau–Ilanz	1903	1922	11000 V	19 km	14 ‰ (1 in 70)	709 m
Thusis–St. Moritz	1903/04	1919	11000 V	62 km	35 ‰ (1 in 29)	1823 m
Davos–Filisur	1909	1919	11000 V	19 km	35 ‰ (1 in 29)	1543 m
Ilanz–Disentis	1912	1922	11000 V	30 km	27 ‰ (1 in 37)	1133 m
Bever–Schuls	1913	1913	11000 V	50 km	25 ‰ (1 in 40)	1714 m

Landquart–Davos–Filisur

1 Erster Kontakt des anreisenden «Unterländers» mit der RhB: von der Landquartbrücke der SBB aus fällt der Blick auf die benachbarte Brücke der RhB-Linie Landquart–Klosters–Davos. Hinter der «Klus» locken die Berge von St. Antönien.

Premier contact du voyageur arrivant du nord avec le RhB. La photo est prise du viaduc des CFF à Landquart. Le regard se porte sur le pont voisin de la ligne RhB Landquart–Klosters–Davos. Derrière le défilé se détachent les montagnes de St-Antönien.

Approaching from the north, the traveller's first glimpse of the RhB: from the SBB bridge at Landquart he can see the bridge of the RhB line Landquart–Klosters–Davos close by. Through the narrow gap the mountains of St Antönien beckon invitingly.

2 Einige Meter flussabwärts bietet sich eine wahre Brückenschau: die neue geschweisste Brücke für das zweite Gleis der SBB, die alte genietete SBB-Brücke und die Brücke der RhB von Bild 1.

Quelques mètres en aval du fleuve, un tableau peu commun: le nouveau viaduc soudé des CFF pour la deuxième voie, l'ancien viaduc riveté des CFF et celui du RhB de la gravure no. 1.

Some meters downstream, the traveller's eye is delighted by a fascinating spectacle: the new welded bridge for the second SBB line, the old rivet construction of the SBB and the RhB bridge from plate 1.

3 Die beiden SBB-Brücken, vom Hochhaus rechts auf Bild 2 aufgenommen. Links beginnt das Bahnhofareal, in der Mitte sind die beiden Autobahnbrücken zu sehen, dahinter mündet der Fluss Landquart in den Rhein. Das Kieswerk lebt hauptsächlich vom Strassenbau. Landquart ist nicht nur der Name des Flusses, der seinen Namen nach der Vereinigung des Vereinabaches mit dem Verstanclabach bekommt und über Klosters und Schiers das Prättigau entwässert,

1

2

3

sondern auch der Siedlung, die sich um die Papierfabrik und die Werkstätten der RhB ausgebreitet hat. Diese Siedlung gehört zur ziemlich entfernt gelegenen Gemeinde Igis im Süden.

Les deux viaducs des CFF. Photo prise de la droite, à partir de l'immeuble de la gravure no. 2. A gauche, début du terrain de la gare; au milieu, les ponts de l'autoroute; derrière, l'embouchure de la rivière Landquart se jetant dans le Rhin. L'usine de gravier vit surtout de la construction routière. Landquart n'est pas seulement le nom du fleuve formé de la réunion des ruisseaux Vereina et Verstancla, se déversant dans la vallée du Prättigau au niveau de Klosters–Schiers, mais c'est aussi celui de l'agglomération s'étant développée autour de la fabrique de papier et des ateliers du RhB appartenant à la commune assez éloignée d'Igis au sud.

View of the two SBB bridges, taken from the tall building on the right of plate 2. On the left, part of the station area; in the middle the two motorway bridges; in the background, the Landquart river flowing into the Rhine. The gravel from the pit is used mainly for road construction. Landquart is not only the name of the river below the confluence of the Vereina and Verstancla brooks, which flows past Klosters and Schiers down the valley of the Prättigau; it is also the name of the village, which has developed around the paper mill and the RhB workshops. This village belongs to the relatively distant community of Igis in the south.

4 Dieser «Stern» gehört zu einem Industriekomplex in Landquart, der über 500 Personen beschäftigt, nämlich zur . . .

Cette «étoile» appartient à un complexe industriel de Landquart qui emploie plus de 500 personnes, soit . . .

This "star" is part of an industrial complex in Landquart which employs more than 500 workers, . . .

6

7

8

5 . . . RhB-Hauptwerkstätte mit dem Lokomotivdepot. Es ist der Typ des Ringdepots, dessen kurze Zufahrtsgleise auf eine grosse Drehscheibe münden, welche die Lokomotiven nach mehr oder weniger kurzer Drehung auf das rund 400 km lange RhB-Netz entlässt.

. . . l'atelier principal du RhB avec le dépôt de locomotives. C'est le dépôt de type circulaire dont les voies d'accès aboutissent à une grosse plaque tournante qui, après une rotation plus ou moins grande, dirige les locomotives sur le réseau du RhB d'une longueur de 400 km environ.

. . . the RhB main workshop and the locomotive shed. It is a roundhouse, the rails of which run onto a large turntable. From there, the locomotives have access to the 440 km network of the RhB.

6–9 Was für Maschinen sind das? Die brave BoBo (Ge 4/4 I) von 1947, von der bis 1953 zehn Stück gebaut wurden (7); die mächtige Doppellok Ge 6/6 II, zwischen 1958 und 1965 in sieben Exemplaren erschienen (6); die moderne Ge 4/4 II, von welcher 1973 zehn Stück geliefert wurden (8); und schliesslich die stolze G 4/5, von welcher nur noch zwei von ursprünglich 29 Lokomotiven für historische Züge übriggeblieben sind (9).

Quelles sont ces locomotives? La brave BoBo (Ge 4/4 I) datant de 1947, construite en dix exemplaires jusqu'en 1953 (7); la puissante locomotive double Ge 6/6 II dont le modèle fut reproduit sept fois de 1958 à 1965 (6); la locomotive moderne Ge 4/4 II dont on livra dix répliques en 1973 (8); et enfin, la fière G 4/5 dont il ne nous reste plus que deux des 29 modèles du début, roulant en tête de trains historiques (9).

What types of locomotives are these? The faithful BoBo (Ge 4/4 I), built in 1947, of which ten units were constructed up to 1953 (7); the big double locomotive Ge 6/6 II, of which seven came into operation between 1958 and 1965 (6); the modern Ge 4/4 II, of which ten units were delivered in 1973 (8); and finally the proud G 4/5, of which out of an original stock of 29 only two remain in service for occasional pleasure trips at the head of historical trains (9).

9

10

11

12

10 In den Jahren 1981/82 stand die neue Furkatunnel-Lok Ge 4/4, Nr. 81, der Furka – Oberalp-Bahn (FO) im RhB-Depot, wo sie in Erwartung des kommenden Basistunnels bei der RhB willkommen war. Sie absolvierte dort auch ihre Versuchsfahrten. Davor eine Thyristorlok, dahinter ein «Krokodil» Ge 6/6 I und eine Ge 2/4 aus der Zeit der Elektrifikation.

En 1981–82, la nouvelle locomotive destinée au tunnel de la Furka Ge 4/4, no. 81, du Chemin de fer Furka–Oberalp (FO), se trouvait au dépôt. Dans l'attente de l'ouverture du prochain tunnel de base, elle était un hôte bienvenu sur la ligne du RhB. C'est aussi là qu'elle termina ses voyages d'essai. Devant, une locomotive à thyristors, derrière une «cocodile» Ge 6/6 I et une Ge 2/4 de l'époque de l'électrification.

In 1981/82, the new Ge 4/4 locomotive No. 81 of the Furka – Oberalp Railway (FO) was a welcome addition to the RhB stock; this engine, which was destined for the future Furka base tunnel, went through its trial runs on the RhB lines. In front, a thyristor-controlled locomotive, at the rear a "Crocodile" Ge 6/6 I and a Ge 2/4 from the era of electrification.

11 In der Führerkabine der neuen Thyristor-Ge 4/4 II mit dem Fahrschalterrad und den Bremsventilen rechts.

Dans la cabine du conducteur de la nouvelle locomotive à thyristors Ge 4/4 II, avec le volant du manipulateur et les robinets de frein à droite.

Inside the driver's cab of the new thyristor-controlled Ge 4/4 II; on the right, the controller wheel and the brake operating levers.

12 Blick von Landquart rheintalaufwärts; links die RhB-Werkstätte mit den meterspurigen Abstellgleisen; vorn der RhB/SBB-Bahnhof; rechts ein Schnellzug nach Chur.

Vue de Landquart, en amont de la vallée du Rhin; à gauche, les ateliers du RhB avec les voies de garage d'un écartement d'un mètre; devant, la gare RhB/CFF; à droite un express des CFF, en direction de Coire.

View up the valley of the Rhine from Landquart; on the left, the RhB workshop with meter gauge sidetracks; in front, the RhB/SBB station; on the right, an SBB express to Chur.

Die elektrischen Lokomotiven der RhB (Stammnetz)
Les locomotives électriques du RhB (réseau principal)
Electric locomotives of the RhB (Main Network)

Serie Série Type	Nummern Numéros Numbers	Baujahr Année de construction Year of construction	Leistung PS Puissance CV Power h.p.	V max. km/h V max. km/h Max. speed km/h	Bemerkungen Remarques Notes
Ge 2/4	212, 213	1913	800	55	Stangenantrieb Machines à bielles Rod drive 1943 umgebaut Transformées en 1943 Re-built in 1943
	221, 222	1913	610	55	1945 umgebaut Transformées en 1943 Re-built in 1943
Ge 4/6	351, 352[1]	1912–1913	720	55	Stangenantrieb Machines à bielles Rod drive
	353-355[2]	1914	800	55	Stangenantrieb Machines à bielles Rod drive
Ge 6/6 I	401 –415[3]	1921–1929	1140	55	Stangenantrieb Machines à bielles Rod drive
Ge 4/4 I	601–610	1947/1953	1600	75	
Ge 4/4 II	611–620 621-633	1973 1983–	2300	90	Thyristorsteuerung A thyristors Thyristor-controlled
Ge 6/6 II	701–707	1958/1965	2400	75	Mit Kastengelenk A caisse articulée Articulated

1) Ausrangiert.
2) 354, 355 ausrangiert; 353 Museumlok, stationiert in Samedan.
3) 401-406 und 408-410 ausrangiert.

1) Hors service.
2) Les nos. 354 et 355 sont hors service. La locomotive no. 353 est exposée à Samedan.
3) Les nos. 401 à 406 et 408 à 410 sont hors service.

1) Out of service.
2) Nos. 354 and 355 are now out of service. No. 353 is on show at Samedan.
3) Nos. 401 – 406 and 408 – 410 are out of service.

Ausserdem sind vorhanden (Stand 1985):

3 Lokomotiven (De 2/2, Nr. 151, und Ge 2/2, Nrn. 161 – 162) für die Berninalinie von 1911 und 1928
1 Zweikraft-Rangierlok Gem 2/4, Nr. 211, von 1913, umgebaut 1943 und 1967
2 Rangierlokomotiven Ge 3/3, Nrn. 214 – 215, von 1984
3 Dieselrangierlokomotiven Gm 3/3, Nrn. 231 – 233, von 1975
2 Zweikraft-Hilfslokomotiven Gem 4/4, Nrn. 801 – 802, von 1968
4 ABe 4/4-Triebwagen, Nrn. 501 – 504, von 1939, für das Stammnetz, umgebaut ab 1982
6 Be 4/4-Triebwagen, Nrn. 511 – 516, von 1971 und 1978 für den Vorortverkehr auf dem Stammnetz
7 ABe 4/4-Triebwagen, Nrn. 30 – 32 und 34 – 37, sowie
1 BDe 4/4-Triebwagen, Nr. 38, von 1908 – 1911, für die Berninalinie
9 ABe 4/4-Triebwagen, Nrn. 41 – 49, von 1964 – 1972, für die Berninalinie
3 ABe 4/4-Triebwagen, Nrn. 51 – 53, mit Umrichter und Drehstromtriebmotoren von 1987 für die Berninalinie (im Bau)
8 ABDe 4/4-Triebwagen, Nrn. 481 – 488, von 1957 – 1973, für die Arosalinie
1 ABDe 4/4-Triebwagen, Nr. 454, von 1909, umgebaut 1944, sowie
1 BDe 4/4-Triebwagen, Nr. 491, von 1958, für Güterzüge zwischen Castione und Grono (Misox)

Le RhB possède en outre (situation en 1985):

3 locomotives (De 2/2, no. 151, et Ge 2/2, nos. 161 – 162) pour la ligne de la Bernina, datant de 1911 et 1928
1 locomotive de manœuvre ambimoteur Gem 2/4, no. 211, datant de 1913, transformée en 1943 et en 1967
2 locomotives de manœuvre Ge 3/3, nos. 214 – 215, datant de 1984
3 locomotives de manœuvre diesel Gm 3/3, nos. 231 – 233, datant de 1975
2 locomotives de secours ambimoteur Gem 4/4, nos. 801 – 802, datant de 1968
4 automotrices ABe 4/4, nos. 501 – 504, datant de 1939, pour le réseau principal, tranformées depuis 1982
6 automotrices Be 4/4, nos. 511 – 516, datant de 1971 et de 1978, pour le service de banlieue du réseau principal
7 automotrices ABe 4/4,nos. 30 – 32 et 34 – 37, ainsi que
1 automotrice BDe 4/4, no. 38, datant de 1908 – 1911, pour la ligne de la Bernina
9 automotrices ABe 4/4, nos. 41 – 49, datant de 1964 – 1972, pour la ligne de la Bernina
3 automotrices ABe 4/4, nos. 51 – 53, avec changeurs de fréquence et moteurs triphasés, en construction pour la ligne de la Bernina, mise en service en 1987
8 automotrices ABDe 4/4, nos. 481 – 488, datant de 1957 – 1973, pour la ligne d'Arosa
1 automotrice ABDe 4/4, no. 454, datant de 1909, transformée en 1944, ainsi que
1 automotrice BDe 4/4, no. 491, datant de 1958, pour les trains de marchandises Castione – Grono (Misox)

In addition, the following engines are available (1985):

3 locomotives (a De 2/2, No. 151, and two Ge 2/2s, Nos. 161 – 162) for the Bernina line, constructed in 1911 and 1928
1 dual power shunter Gem 2/4, No. 211, constructed in 1913 and modified in 1943 and 1967
2 shunters Ge 3/3, Nos. 214 – 215, constructed in 1984
3 diesel shunters Gm 3/3, Nos. 231 – 233, constructed in 1975
2 dual power auxiliary locomotives Gem 4/4, Nos. 801 – 802, constructed in 1968
4 ABe 4/4 motor coaches, Nos. 501 – 504, constructed in 1939, for the main network, modified since 1982
6 Be 4/4 motor coaches, Nos. 511 – 516, constructed in 1971 and 1978, for local traffic on the main network
7 ABe 4/4 motor coaches, Nos. 30 – 32 and 34 – 37, as well as
1 BDe 4/4 motor coach, No. 38, constructed between 1908 and 1911, for the Bernina line
9 ABe 4/4 motor coaches, Nos. 41 – 49, constructed between 1964 and 1972, for the Bernina line
3 ABe 4/4 motor coaches, Nos. 51 – 53, with static frequency changers and three-phase current motors; under construction at the moment, they will be brought into service on the Bernina line in 1987
8 ABDe 4/4 motor coaches, Nos. 481 – 488, constructed between 1957 and 1973, for the Arosa line
1 ABDe 4/4 motor coach, No. 454, constructed in 1909 and modified in 1944, as well as
1 BDe 4/4 motor coach, No. 491, constructed in 1958, for goods service Castione – Grone (Misox)

13 Landquart RhB und SBB mit dem Aufnahmegebäude aus dem Jahr 1858. Seit der Modernisierung wird unterirdisch umgestiegen.

La gare RhB/CFF de Landquart avec le bâtiment de voyageurs de 1858. Depuis la modernisation de la station, on utilise des passages souterrains.

Landquart RhB/SBB with the original terminal of 1858. Since the modernization of the station was undertaken, subways have been introduced.

14 Keine Frage, dass es sich hier um ein Bahnhofbuffet handelt.

Pas de doute qu'il s'agit ici d'un buffet de gare.

There is no question of this being anything other than a station restaurant.

14

15 Die alte Ge 2/4 Nr. 222 von 1913 wurde 1945 umgebaut; statt Streckendienst im Engadin leistet sie seither Rangierarbeit. In Landquart, wo fast alle Güter zwischen Normal- und Schmalspur umgeladen und die Güterzüge für die RhB gebildet werden, ist der Rangierdienst umfangreich und hart.

La vieille Ge 2/4, no. 222, de 1913 fut modifiée en 1945; au lieu de circuler sur le réseau de l'Engadine, elle est depuis employée à manœuvrer les trains. A Landquart, le travail de triage est considérable et pénible car il y a transbordement de presque toutes les marchandises, de la voie normale à la voie étroite, et formation de trains de marchandises pour le RhB.

The old Ge 2/4 No. 222, built in 1913, was modified in 1945; instead of pulling regular trains on the Engadine line, she has since been restricted to shunting service. In Landquart, where nearly all goods are transshipped from standard to narrow gauge and where the goods trains for the RhB are compiled, this task is a daunting one.

15

16

17

16 Neue Wagen an neuem Perron.

De nouveaux wagons sur un nouveau quai.

New passenger cars on a new platform.

17 Der Dampfzug mit zwei G 4/5 Lokomotiven stösst auf grosses Interesse. Dahinter ein moderner Vorortriebzug.

Objet d'intérêt: le chemin de fer à vapeur avec deux locomotives G 4/5. Derrière, un nouveau train automoteur pour le service de banlieue.

The steam train with two G 4/5 locomotives excites avid interest. Behind it, a modern motorcoach train.

18 Neben dem Vorortriebzug steht abfahrtbereit ein Extrazug mit zwei Salonwagen (früher Montreux–Berner Oberland-Bahn) und zwei Speisewagen.

A côté du train automoteur un train spécial est prêt au départ avec deux wagons-salons (auparavant Chemin de fer Montreux–Oberland bernois) et deux wagons-restaurants.

Beside the motorcoach train, a special train with two saloon cars (formerly used on the Montreux–Berner Oberland Railway) and two restaurant-cars is ready for departure.

19 Umladen von Stammholz von RhB auf SBB mit einem elektrischen Kran. Jährlich «steigen» hier über 12000 t oder 1600 RhB-Wagenladungen um, und zwar vorwiegend Holz für schweizerische Papierfabriken.

Transbordement du bois en grumes des wagons du RhB à ceux des CFF, au moyen d'une grue électrique. Chaque année, le volume du bois en grumes transbordé est de 12000 tonnes, soit 1600 chargements RhB, composé surtout de bois à papier destiné aux usines de papeterie suisses.

An electric crane transships logs from the RhB to the SBB. Every year, over 12000 tonnes or 1600 RhB wagon loads are transshipped here, principally made up of wood for paper on its way to Swiss paper mills.

20 Die kleinen Zweiachser werden seit einigen Jahren durch moderne Drehgestellwagen ersetzt, die zum Teil mit Schiebewänden oder auch mit Kühleinrichtungen und Wärmeisolation ausgerüstet sind. Ein RhB-Drehgestellgüterwagen fasst gleich viel wie ein entsprechender Normalbahnwaggon.

Depuis quelques années, les petits wagons à deux essieux sont remplacés par des wagons à bogies modernes, équipés en partie avec des portes coulissantes et des installations frigorifiques à revêtement calorifuge. Un wagon de marchandises à bogies

20

21

du RhB a une capacité équivalente à celui de voie normale.

The small two axle wagons are still being replaced by modern bogie wagons, a number of which are equippped with sliding partitions as well as with cold-storage facilities and heat insulation. An RhB bogie wagon has the same capacity as a corresponding standard gauge wagon.

21 Die neue RhB-Hauptwerkstätte mit einer Diesel-Schneeschleuder und einem Vororttriebzug.

Les nouveaux ateliers principaux du RhB avec un chasseneige rotatif diesel et un train automoteur de banlieue.

The new RhB main workshop with a Diesel rotary snow-plough and a motorcoach train.

22 Frühling in der Herrschaft bei Malans.

Le printemps dans le domaine près de Malans.

Spring in the Domain near Malans.

22

23

23 Durch die Rheinebene unterwegs von Landquart nach Malans. Im Hintergrund von links nach rechts: Churfirsten, Gonzen (bei Sargans), Alvier und Fläscherberg.

A travers la plaine du Rhin, en route de Landquart vers Malans. A l'arrière-plan, de gauche à droite: Churfirsten, Gonzen (près de Sargans), Alvier et Fläscherberg.

From Landquart to Malans across the plain of the Rhine. In the background from left to right: the Churfirsten, the Gonzen (above Sargans), the Alvier and the Fläscherberg.

24

24 Das Weinbauerndörfchen Malans. Dahinter der Falknis.

Le village viticole de Malans. Derrière, le mont Falknis.

The wine-growing village of Malans. In the background, the Falknis.

25–26 Durch die finstere Klus Richtung Grüsch – bei Wärme und Kälte.

A travers le défilé sombre en direction de Grüsch, en été et en hiver.

Through the narrow, dark defile towards Grüsch – in summer and in winter.

25

26

27

28

29

30

27 Die Klus ist durchfahren, und es öffnet sich das Prättigau (pratum = Wiese). Der Schnellzug nach Davos passiert die Station Seewis.

Le défilé est traversé et la vallée du Prättigau s'ouvre au devant (pratum = pré). L'express vers Davos passe la station de Seewis.

Behind the defile, the valley of the Prättigau spreads out (pratum = meadow). The express for Davos passes through the station of Seewis.

28 Blick zurück zur Klus. Im Hintergrund die Grauen Hörner.

Vue vers l'arrière en direction du défilé. Dans le lointain, les montagnes des Grauen Hörner.

View back towards the defile. In the background, the Grauen Hörner.

29 Vorortzug auf einer neuen Überführung unterhalb Schiers.

Train de banlieue sur un nouveau passage au-dessous de Schiers.

A local train on a new viaduct below Schiers.

30 Schnellzug mit zwei Thyristorlokomotiven in Vielfachsteuerung oberhalb Schiers. Die hohe Zugkraft wird ab Küblis notwendig, wo die Steigung bis 45 Promille erreicht.

Train express avec deux locomotives à thyristors en commande multiple au-dessous de Schiers. La haute force de traction est nécessaire à partir de Küblis où la déclivité atteint près de 45 ‰.

An express train with two thyristor multiple-controlled locomotives above Schiers. The high traction power is needed from Küblis on, where the gradient rises up to 1 in 22.

31

32

33

34

31 Zwischen Schiers und Furna ist die Strecke begradigt und 1978 in den neuen Fuchsenwinkel-Tunnel verlegt worden. Die Mündung von der Talseite her mit der neuen Strassenüberführung.

Entre Schiers et Furna le tronçon a été rectifié et déplacé, en 1978, dans le nouveau tunnel Fuchsenwinkel. A la sortie, du côté de la vallée, se trouve un nouveau passage routier.

Between Schiers and Furna, the line was straightened out and, in 1978, relaid into the new Fuchsenwinkel tunnel. The lower mouth of the tunnel with the new roadbridge.

32 Die gleiche Partie mit einem talwärts fahrenden Zug. Die Brücke ist ein gutes Beispiel für die heutige Betonbauweise.

Même tronçon avec un train descendant vers la vallée. Le pont est un exemple de la construction en béton actuelle.

The same view, with a train running downhill. The bridge is a good example of modern concrete construction.

33 Die obere Mündung des neuen Fuchsenwinkel-Tunnels, in welchen offensichtlich ein Dampfzug eingefahren ist.

L'ouverture supérieure du nouveau tunnel Fuchsenwinkel. La vapeur nous laisse supposer le type de train qui vient d'y pénétrer.

The upper mouth of the new Fuchsenwinkel tunnel. Judging by appearances, a steam train has just run into it.

34 Nochmals die bergseitige Mündung des Fuchsenwinkel-Tunnels.

De nouveau, l'ouverture du tunnel Fuchsenwinkel du côté de la montagne.

Another view of the upper mouth of the Fuchsenwinkel tunnel.

35

35 Hier in Fideris sitzt mit einer Holzverarbeitungsfirma ein bedeutender Kunde der RhB.

Fideris est le domicile d'un important client du RhB, une usine de transformation du bois.

A wood-processing plant in Fideris is an important customer of the RhB.

36

36 Bahntraktor vor den langen Holzlagerhalden in Fideris.

Locotracteur devant les longs entrepôts de bois, à Fideris.

Motor tractor in front of the huge timber yard in Fideris.

37

37 Im Talgrund unterhalb Küblis ist die Linie ebenfalls in eine günstigere Lage verlegt worden, wovon diese neue Betonbrücke über die Landquart zeugt.

Dans le fond de la vallée, en-dessous de Küblis, la ligne a également été déplacée en un meilleur endroit: ce nouveau pont de béton sur la Landquart en est le témoignage.

At the bottom of the valley below Küblis, the track has also been relaid in a more advantageous position. This new concrete bridge across the Landquart is a splendid example of this modernization.

38 Auf der 43‰-Rampe oberhalb Küblis.

Sur la rampe de 43‰, au-dessus de Küblis.

On the steep 1 in 23 grade above Küblis.

38

39 Blick talwärts auf Küblis und das Maschinenhaus der Bündner Kraftwerke, welche die RhB zu ihren wichtigsten Kunden zählen. Hier beginnt die 45‰-Rampe nach Davos. Und hier endet für die Skifahrer die mit 12 km Länge und 2000 m Höhenunterschied grösste Skiabfahrt Europas.

Vue sur Küblis et le hall aux machines de la centrale hydroélectrique des Grisons dont le RhB constitue un des plus importants clients. Ici, c'est le début de la rampe de 45‰ vers Davos et, pour les skieurs, la fin de la plus grande descente d'Europe, avec une longueur de piste de 12 km et une différence de niveau de 2000 mètres.

View down the valley to Küblis and the power house of the Bündner Kraftwerke. The RhB is one of the most important customers of this power station. Here begins the steep grade (1 in 22) towards Davos, and here ends one of the greatest downhill runs of Europe (lenght 12 km, difference in elevation 2000 meters).

39

40

40 Generatoren und Turbinen verwerten das in einer dreifachen Druckleitung niederstürzende Wasser.

Génératrices et turbines mettent à profit les eaux torrentielles de trois conduites forcées.

The water rushing down in three pressure pipes feeds generators and turbines.

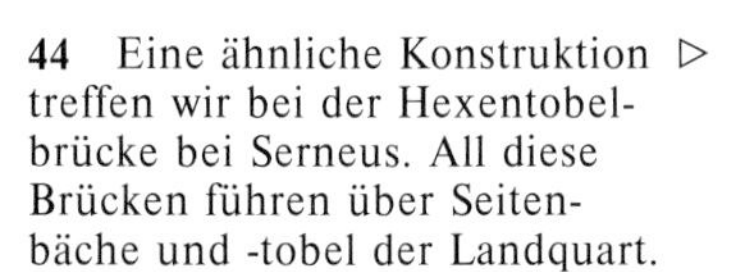

44 Eine ähnliche Konstruktion ▷ treffen wir bei der Hexentobelbrücke bei Serneus. All diese Brücken führen über Seitenbäche und -tobel der Landquart.

Une construction semblable se retrouve pour le pont de Hexentobel près de Serneus. Tous ces ponts franchissent des ruisseaux et des ravins latéraux de la Landquart.

The Hexentobel bridge near Serneus is of a similar construction. All these bridges span tributaries and ravines running lateral to the Landquart river.

41

41 Bergwärts bei Saas.

La montée près de Saas.

Goint up the mountain near Saas.

42

43

44

42 Wieder eine Ge 4/4-Doppeltraktion auf der Tritt-Tobel-Brücke unterhalb Saas. Die Fachwerkbrücke von 1889 wurde für die ab 1920 verkehrenden elektrischen Lokomotiven mit dem nach unten hängenden Fischbauchträger verstärkt.

De nouveau, une traction double Ge 4/4 sur le viaduc Tritt-Tobel, en-dessous de Saas. Le pont en treillis de 1889 fut renforcé par des poutres en ventre de poisson dirigées vers le bas pour faire face au trafic des locomotives électriques, à partir de 1920.

Two Ge 4/4 engines pull a train across the Tritt-Tobel bridge below Saas. The old framework of the bridge, which was constructed in 1889, was reinforced by a fishbellied girder for the electric locomotives brought into service from 1920 onwards.

43 Nochmals die Hexentobelbrücke mit Serneus im Hintergrund.

De nouveau, le pont de Hexentobel, avec Serneus à l'arrière-plan.

Another view of the Hexentobel bridge with Serneus in the background.

45 Aufstieg nach Klosters mit dem Gotschnagrat.

La montée vers Klosters avec la Gotschnagrat.

Ascent to Klosters with the Gotschnagrat.

46 Das rasch wachsende Klosters Dorf auf dem Schuttkegel des Schlappinbachs. Hinten links die Silvrettagruppe.

Le village à croissance rapide de Klosters Dorf, au cône de déjections du ruisseau Schlappin. Derrière, à gauche, le groupe de la Silvretta.

The rapidly expanding village of Klosters Dorf on the scree of the Schlappin brook. On the left in the background, the Silvretta massif.

▷ **47** Der belebte Bahnhof des Kurortes Klosters Platz (1194 m): eine G 4/5-Dampflok beim Wasserfassen, der sie erwartende Zug und der Fahrplanzug nach Davos.

Gare animée de la localité touristique de Klosters Platz (1194 m): locomotive à vapeur G 4/5 faisant le plein d'eau, le train qui l'attend et le train régulier vers Davos.

The busy station of the resort Klosters Platz (1194 m): a G 4/5 steam engine filling up its water tank, the train that awaits her, and the regular train to Davos.

48 In Klosters erreichten die Züge bis 1930 die in entgegengesetzter Richtung ansteigende Rampe nach Cavadürli über eine Spitzkehre. Seither geht die Fahrt über eine Eisenbetonbrücke des bekannten Ingenieurs Robert Maillart und durch einen neuen Kehrtunnel ungehindert weiter. Die alte Brücke mit drei Fischbauch-Eisenträgern auf hohen Pfeilern dient Fussgängern und Skifahrern. Die Luftseilbahn führt vom Bahnhof zum Gotschnagrat.

Jusqu'en 1930, les trains atteignaient la rampe montant en direction opposée de Klosters vers Cavadürli au moyen d'un

47

48

rebroussement. Depuis, le chemin de fer continue librement son chemin en franchissant un viaduc en béton armé, œuvre du célèbre ingénieur Robert Maillart, et en traversant un tunnel hélicoïdal. Le vieux pont à hautes poutres en ventre de poisson est employé par les piétons et les skieurs. Le téléphérique circule de la gare jusqu'à la Gotschnagrat.

Until 1930, the trains reached the grade, ascending in the opposite direction from Klosters towards Cavadürli by means of a switchback. This obstacle was then eliminated by the construction of a ferro-concrete bridge designed by the famous engineer Robert Maillart, and by a new spiral tunnel. The old bridge with three fishbellied iron girders on high pillars is used by pedestrians and skiers. The cable car runs from the station up to the Gotschnagrat.

49 Altes Lokomotivgespann auf neuer Brücke. Die zartgliedrige Eisenbetonkonstruktion war eine der ersten ihrer Art; als der Bergdruck das Bauwerk in zerstörerischer Weise emporzuwölben begann, wurde nachträglich eine Strebe eingebaut, die nun den Fussgängern sehr willkommen ist. Unter der linken Hälfte des Brückenbogens ist ein Teil der alten Eisenbrücke sichtbar.

Deux vieilles locomotives sur un nouveau pont. Cette construction en béton armé, à l'allure délicate, fut une des premières de ce genre. Lorsque le poids de la montagne commença à la voûter vers le haut d'une façon destructive, on construisit ultérieurement une jambe de force, au contentement des piétons. Sous la moitié gauche de l'arc, une partie de l'ancien pont métallique.

An old pair of locomotives on a new bridge. The fine ferro-concrete construction was one of the first of its kind. When the bridge began to buckle dangerously due to the pressure of the mountain, a crossbeam had to be added, which is now especially convenient for pedestrians. Beneath the left half of the arch, a part of the old iron bridge is visible.

49

50

50 Nochmals der Bahnhof von Klosters Platz.

De nouveau la gare à Klosters Platz.

Another view of the station of Klosters Platz.

51 Aufstieg zum Cavadürli. Fast alle Häuser sind neue Ferienbauten. Im Hintergrund das Quellgebiet der Landquart.

Montée vers Cavadürli. Presque toutes les maisons sont de nouvelles constructions de vacances. A l'arrière-plan, la région des sources qui alimentent la Landquart.

Ascent towards Cavadürli. Most of the houses are new holiday homes. In the background, the region where the Landquart has its sources.

51

52 Endlich ein altes CC- «Krokodil» Ge 6/6 I mit dem Regionalzug Klosters-Davos. Blick zurück auf die Kirche von Klosters, die im 13. Jahrhundert gegründet wurde und in den Jahren 1493, 1634 und 1723 ihre heutige Gestalt erhalten hat.

Enfin, une vieille locomotive CC «Crocodile» Ge 6/6 I, en tête du train régional Klosters-Davos. Regard en arrière sur l'église de Klosters, bâtie au XIIIe siècle, rénovée et transformée en 1493, 1634 et 1723.

An old CC "Crocodile" Ge 6/6 I, heading the local train Klosters-Davos. View back to the church of Klosters, which dates back to the 13th century and which was successively re-built in 1493, 1634 and 1723.

53

53–54 Die Schleife von Cavadürli mit kurzem Kehrtunnel.

La grande courbe de Cavadürli avec un court tunnel hélicoïdal.

The loop at Cavadürli with a short spiral tunnel.

54

55 Der Zug erreicht die Passhöhe von Davos-Wolfgang (1633 m ü. M.); darüber die Skilandschaft Parsenn-Gotschna.

Le train atteint le haut du col de Davos-Wolfgang (1633 m). Au-delà, on aperçoit les pentes de la région de ski Parsenn-Gotschna.

The train reaches the summit at Davos-Wolfgang (1633 m). In the background, the skiing region of Parsenn-Gotschna.

55

56

56 Blick von der Passhöhe Richtung Davos mit Jakobshorn.

Vue du col en direction de Davos avec le Jakobshorn.

View from the top of the pass towards Davos with the Jakobshorn in the background.

57

57 Güterzug mit CC-Lokomotive in Wolfgang.

Train de marchandises avec locomotive CC à Wolfgang.

Goods train pulled by a CC locomotive at Wolfgang.

58

59

60

61

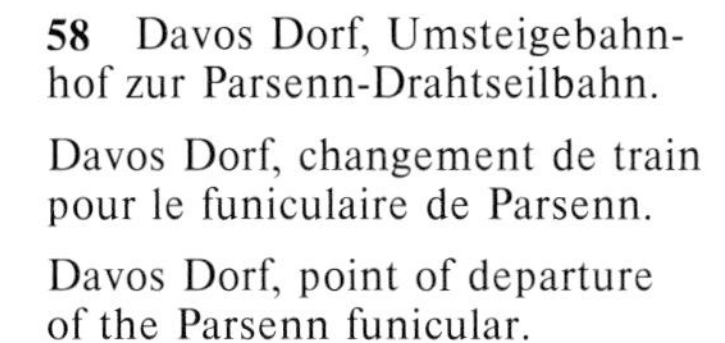

58 Davos Dorf, Umsteigebahnhof zur Parsenn-Drahtseilbahn.

Davos Dorf, changement de train pour le funiculaire de Parsenn.

Davos Dorf, point of departure of the Parsenn funicular.

59 Der neue Bahnhof von Davos Dorf von der Strasse her.

La nouvelle gare de Davos Dorf. Photo prise du côté de la rue.

The new station of Davos Dorf, seen from the street.

60 Zwei treue Diener der Bahn; der eine trägt ein Rangierfunkgerät.

Deux employés de gare vigilants, l'un avec un appareil radio.

Two faithful workers of the RhB, one of them with a walkie-talkie used for shunting work.

61 Davos Platz. Der Kirchturm von 1481 trägt einen Helm, der sich unter dem Einfluss der um ihn kreisenden Davoser Höhensonne verdreht hat.

Davos Platz. Le clocher de l'église, datant de 1481, est surmonté d'une coupole qui s'est déformée sous l'influence des rayons intenses du soleil de Davos.

Davos Platz. The cupola of the church spire, constructed in 1481, has been distorted by the fierce heat of the mountain sun shining down on Davos.

62

62 Zwischen Wolfgang und Davos Dorf.

Entre Wolfgang et Davos Dorf.

Between Wolfgang and Davos Dorf.

63 Zwischen Davos Platz und Frauenkirch gegen Süden. Über dem Triebwagen das Tinzenhorn (3172 m) in der Kette des Piz Mitgel zwischen Bergün und Savognin.

Entre Davos Platz et Frauenkirch vers le sud. Derrière l'automotrice, le Tinzenhorn (3172 m) de la chaîne du Piz Mitgel, entre Bergün et Savognin.

View southward between Davos Platz and Frauenkirch. Behind the motorcoach, the Tinzenhorn (3172 m) in the Pit Mitgel range between Bergün and Savognin.

63

519

64

65

66

67

64 Davos Platz.

Davos Platz.

Davos Platz.

65 Zwischen Davos Platz und Frauenkirch. Über dem Hotel Schatzalp die Lawinenverbauungen des Schiahorns.

Entre Davos Platz et Frauenkirch. Au-dessus de l'hôtel Schatzalp, les constructions pare-avalanches du Schiahorn.

Between Davos Platz and Frauenkirch. Behind the Schatzalp hotel the avalanche baffleworks on the Schiahorn.

66 Im obersten Landwassertal bei Davos.

Tout en haut de la vallée de la Landwasser, près de Davos.

High up in the valley of the Landwasser, near Davos.

67 Die Kirche von Davos Frauenkirch trotzt mit ihrer keilförmigen Rückseite allen Lawinen.

L'église de Davos Frauenkirch défie toutes les avalanches avec son dos cunéiforme.

The church of Davos Frauenkirch resists any danger from avalanches with its V-shaped back.

68 In der Zügenschlucht bei Monstein. Das Landwasser entsteht aus den sich in Davos vereinigenden Bächen Dischma und Flüela und fliesst unterhalb von Filisur in die Albula.

Dans le Zügenschlucht près de Monstein. La rivière Landwasser est le produit de la réunion de deux ruisseaux, le Dischma et le Flüela. Elle se jette dans l'Albula en bas de Filisur.

In the ravine of Zügen near Monstein. The Landwasser rises from the Dischma and Flüela brooks, which flow together in Davos. Below Filisur it joins the Albula river.

69–70 Die lange Fahrt durch den Bärentritt-Tunnel wird für Sekunden durch das Sägentobel mit seinem Wasserfall unterbrochen.

Le long trajet à travers le tunnel Bärentritt est interrompu quelques instants par un passage à travers le Sägentobel et ses chutes d'eau.

The view of the Sägentobel with its waterfall offers a welcome, though very short change to the monotonous run through the long Bärentritt tunnel.

69

70

71

71–72 Der Vorstand einer einsamen Station; das Dorf liegt weit oberhalb.

Le chef de gare d'une station isolée dont le village est juché bien au-dessus.

The stationmaster at his isolated post: the village is situated high above the railway line.

72

73 Eine CC-Lok auf dem Brombenz-Viadukt in der Zügenschlucht.

Une locomotive CC sur le viaduc de Brombenz dans le Zügenschlucht.

A CC locomotive on the Brombenz viaduct in the Zügenschlucht.

73

409

74

75

76

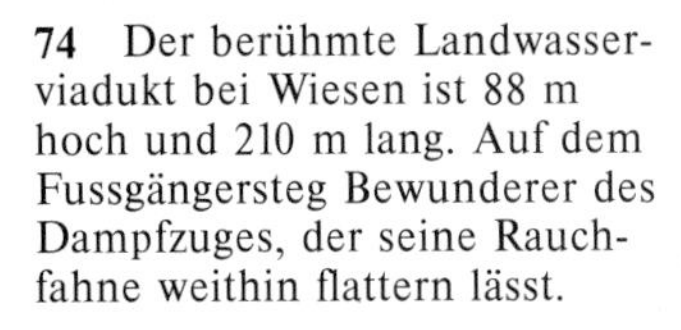

74 Der berühmte Landwasserviadukt bei Wiesen ist 88 m hoch und 210 m lang. Auf dem Fussgängersteg Bewunderer des Dampfzuges, der seine Rauchfahne weithin flattern lässt.

Le célèbre viaduc de Landwasser près de Wiesen, d'une hauteur de 88 m et d'une longueur de 210 m. Sur la passerelle des piétons, des admirateurs du chemin de fer à vapeur qui laisse flotter son long nuage de fumée.

The famous viaduct spanning the Landwasser river near Wiesen is 88 m high and 210 m long. On the foot-bridge, pedestrians admire the steam train billowing a long trail of smoke in its wake.

75 Vor dem Viadukt die «Hippsche Wendescheibe», das Einfahrsignal der Station Wiesen. Die rote Signalscheibe steht – unsichtbar – parallel zum Gleis: die Einfahrt ist also frei. Der Wärter zieht eben das Gewicht auf, das auf einen elektrischen, von der Station her ausgelösten Impuls hin das Signal um eine Vierteldrehung wendet.

Devant le viaduc, le signal «Hipp» d'entrée de la station de Wiesen. Le disque rouge est caché, soit parallèle à la voie: l'entrée est donc libre. Le gardien tire justement sur le poids qui lui fera faire trois quarts de tour par le déclenchement d'une pulsion électrique venant de la station.

In front of the viaduct the entrance signal of the station at Wiesen. The red signal disk, standing parallel to the rail, is not visible: the train is allowed to pull into the station. A railway employee pulls up the weight, which turns the signal by ninety degrees on an electric impulse from the station.

76 Holzverladeplatz in der Zügenschlucht.

Place de chargement du bois dans le Zügenschlucht.

Wood-loading point in the Zügenschlucht.

77

78

◁ 77 Der Landwasserviadukt bei Wiesen wurde 1909 fertig, sechs Jahre nach seinem «Bruder» über das gleiche Gewässer bei Filisur. Auch er entstand in der damaligen, landschaftsfreundlichen Steinbogenbauart. Dahinter das wilde Rutschgebiet der Zügenschlucht mit dem Drostobel.

Le viaduc de Landwasser près de Wiesen fut achevé en 1909, six ans après la construction de son homologue de Filisur, au-dessus du même cours d'eau. D'une longueur de 210 mètres et d'une hauteur de 88 mètres, lui aussi s'intègre bien au paysage, avec ses voûtes de pierre arquées caractéristiques de l'époque. Derrière, la région sauvage d'éboulement du Zügenschlucht avec le Drostobel.

The Landwasser viaduct near Wiesen was completed in 1909, six years after its counterpart spanning the same river near Filisur. It is another example of the stone-arch bridges of that time, which fit into the landscape so well. In the background, the wild ravine of the Zügenschlucht with the Drostobel.

Landquart – Chur (Coire)

78 Ein Vorortzug strebt von Igis her der Hauptstadt Chur entgegen. Von hier aus verlaufen die RhB-Linie und die SBB-Doppelspur weitgehend parallel. Links der Vilan, rechts der Eingang ins Prättigau.

Un train de banlieue sur le parcours allant de Igis au chef-lieu Coire. A partir d'ici, la ligne double des CFF et celle du RhB circulent plus ou moins parallèlement. A gauche, le Vilan; à droite, l'entrée dans la vallée du Prättigau.

A local train from Igis heading towards Chur, the capital of the Grisons. From here, the RhB line and the SBB double track run more or less parallel. On the left, the Vilan, on the right, the entrance to the valley of the Prättigau.

79 Bei Zizers.

Près de Zizers.

Near Zizers.

80

81

82

80 Zementwerk und Zementzug in Untervaz.

Fabrique de ciment et transport par train, à Untervaz.

Cement works and tank cars carrying cement in Untervaz.

81 Station Trimmis. Hinter den Kies-Behälterwagen das zerklüftete Massiv des Hochwang, von wo immer wieder Rüfen niedergehen.

Station de Trimmis. Au-dessus des wagons contenant du gravier, le massif crevassé du Hochwang aux éboulements fréquents.

The station of Trimmis. Behind the gravel wagons, the rugged massif of the Hochwang, where landslides occur again and again.

82 Gemeinsamer RhB/SBB-Fahrleitungsmast in Haldenstein. Links ein Teil des schneebedeckten Grenzgebirges Scesaplana, in der Mitte die Sayserköpfe.

Mât jumelé pour fils de contact RhB/CFF à Haldenstein. A gauche, une partie des montagnes frontalières de la Scesaplana couverte de neige. Au milieu, les pics des Sayserköpfe.

Pole carrying the contact wires of both the RhB and the SBB in Haldenstein. On the left, a part of the snow-capped Scesaplana mountains bordering Austria, in the middle, the Sayserköpfe.

83 Ein roter Vororttriebzug fährt zwischen Landquart und Chur an einem gelben Rapsfeld vorbei. Im Hintergrund die Hochwangkette.

Le train de banlieue rouge passe un champ de colza jaune entre Landquart et Coire. Dans le fond, la chaîne du Hochwang.

The red motorcoach train passes behind a yellow rape field between Landquart and Chur. In the background, the mountain range of the Hochwang.

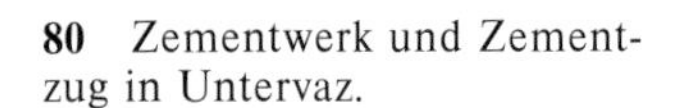

83

84

84 Nicht Manhattan, sondern Chur mit einfahrendem SBB-Zug.

Il ne s'agit pas de Manhattan, mais de Coire avec un train des CFF y faisant son entrée.

Not Manhattan, but Chur with an SBB train approaching the capital of the Grisons.

85 Spurweiten-Wirrwarr in Chur: die SBB-Doppelspur wird von der RhB-Meterspur zur Chur–Arosa-Linie gekreuzt, dann die RhB-Einfahrt und das SBB-Gleis zur Werkstätte Chur. Links der Aussichtsberg Brambrüesch, ein Ausläufer des Dreibündensteins.

Entrelacement des voies à écartements différents à Coire: la voie d'un mètre de la ligne RhB Coire–Arosa croise la voie double des CFF, puis la voie d'entrée du RhB et celle des CFF vers les ateliers de Coire. A gauche, la montagne panoramique Brambrüesch, un des contreforts du Dreibündenstein.

A criss-cross of lines of different gauges at Chur: the RhB meter gauge connection to the Chur–Arosa line crossing the SBB double track, the RhB entrance line and the SBB track leading to the Brambrüesch mountain, whose summit offers a good panoramic view.

86 Internationaler Bahnhof Chur: Autoreisezug mit Schlafwagen Hamburg–Chur.

Gare internationale de Coire: train transporteur d'automobiles (Hambourg–Coire) avec wagons-lits.

Chur international station: car train with sleeping cars (Hamburg–Chur).

85

86

87

88

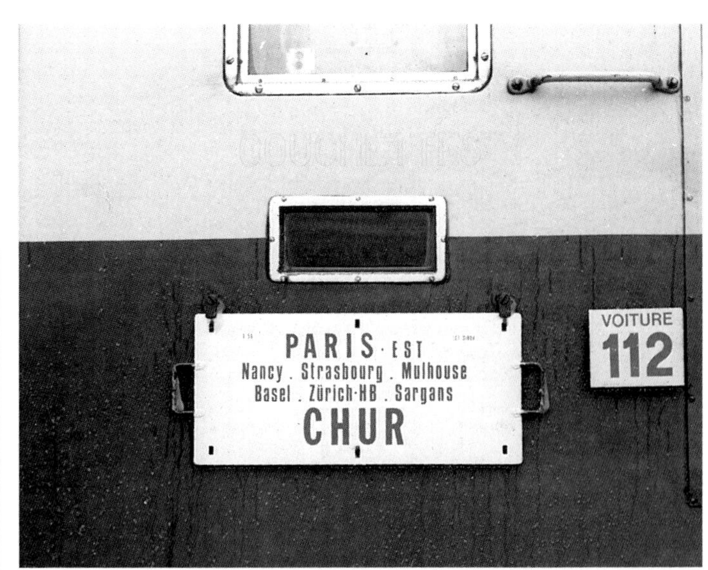

89

87–91 Alle Züge beginnen oder enden in Chur . . .
. . . und finden Schmalspuranschluss nach entfernten Bestimmungsorten im In- und Ausland.

Tous les trains commencent ou terminent leur voyage à Coire . . .
. . . et trouvent une correspondance pour voie étroite permettant aux voyageurs d'atteindre leurs destinations éloignées, à l'intérieur du pays ou à l'étranger.

Chur is where all train journeys begin or end, . . .
. . . continuing on narrow gauge to far-distant destinations at home and abroad.

92 Der RhB-Perron und der bequeme RhB/SBB-Umsteigeperron; zu sehen sind eine CC-Lok, ein Vororttriebzug, eine BoBo Ge 4/4 I und eine Ge 6/6 II-Lokomotive.

Le quai du RhB et la plate-forme jumelée CFF/RhB pour changement de train, avec locomotive CC, train de banlieue, locomotive BoBo Ge 4/4 I et locomotive Ge 6/6 II.

The RhB platform and the SBB/RhB platform, which makes changing trains very convenient. On view are a CC locomotive, a motorcoach train, a BoBo Ge 4/4 I and a Ge 6/6 II.

93 Blick von der Gegenseite: der SBB-Perron für die Züge von

90

91

92

93

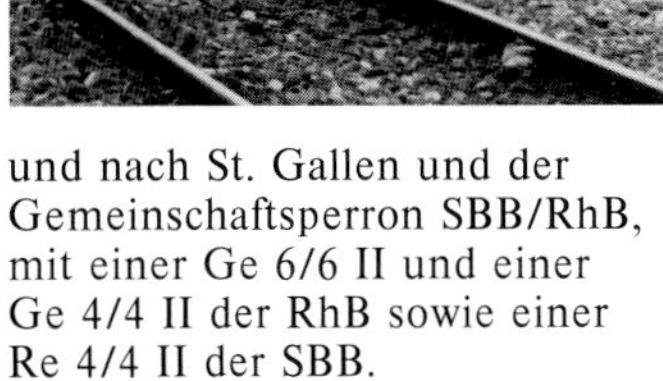

und nach St. Gallen und der Gemeinschaftsperron SBB/RhB, mit einer Ge 6/6 II und einer Ge 4/4 II der RhB sowie einer Re 4/4 II der SBB.

Vue opposée: le quai des CFF pour trains à destination de Saint-Gall et la plate-forme jumelée CFF/RhB, avec les locomotives Ge 6/6 II et Ge 4/4 II du RhB, ainsi que la locomotive Re 4/4 II des CFF.

The same view from the opposite direction: the SBB platform for trains to and from St Gallen and the SBB/RhB platform. Standing in the station are a Ge 6/6 II and a Ge 4/4 II of the RhB and an SBB Re 4/4 II.

94 RhB-Lok Ge 4/4 II. Das längliche Haus rechts ist nichts anderes als der an anderer Stelle wiederaufgebaute erste Churer Bahnhof.

Locomotive Ge 4/4 II du RhB. La maison de forme allongée, sur la droite, n'est rien d'autre que la première gare de Coire reconstruite en un nouvel endroit.

An RhB Ge 4/4 II. The long building on the right is in fact the original station of Chur, which was re-built in another place.

95–96 Winter- und Sommersaison auf dem RhB/SBB-Perron.

Plate-forme RhB/CFF – en hiver et en été.

The RhB/SBB platform – in winter and in summer.

94

95

96

97

97 Der Vorbahnhof Chur auf der Südseite, mit ausfahrendem RhB-Zug und gefüllten SBB-Abstellgleisen. Vorn rechts einige RhB-Rollschemel, mit welchen Normalgüterwagen ohne Umladen weiterbefördert werden. Offene, nicht zu hohe Wagen erreichen praktisch alle Zielstationen; bei gedeckten Typen gibt es einige Einschränkungen. Die RhB-Schnellzüge können in der Regel ebenso viele Wagen führen wie jene der SBB.

Une partie de la gare de Coire sur le côté sud avec train RhB sortant et voies de garage encombrées. En avant, à droite, quelques trucks-porteurs du RhB, avec lesquels les wagons de marchandises à voie normale peuvent être réexpédiés sans transbordement. Les wagons ouverts, pas trop élevés, parviennent presque à toutes les destinations; pour les types de wagons couverts, il existe certaines restrictions. Les trains express RhB peuvent, règle générale, avoir autant de wagons que ceux des CFF.

The southern area of the station at Chur with an RhB train leaving and SBB sidetracks. In front on the right, some RhB bogie trucks, on which standard gauge goods wagons can be transported without transshipping. Open wagons with a relatively low clearance can reach almost every point of the network; this is not the case for covered types. The RhB express trains usually consist of as many cars as those of the SBB.

98

Chur (Coire)–Thusis –Filisur–St. Moritz/ Pontresina

◁ **98** Im Rheintal, mit Felsberger Calanda.

Dans la vallée du Rhin, avec le Felsberger Calanda.

In the valley of the Rhine, with a view of the Felsberger Calanda.

99 Keine Angst - die Strecke Chur–Reichenau ist doppelspurig. Die rutschgefährdete Hangpartie gehört zum Felsberger Calanda. Rechts SBB-Zug auf dem Dreischienengleis Chur–Domat/Ems.

Soyez sans crainte: le tronçon Coire–Reichenau est à voie double. Le versant, sujet aux glissements de terrain fait partie du Felsberger Calanda.

No cause for concern - there is a double track between Chur and Reichenau. The landslide-prone slope is part of the Felsberger Calanda.

100 Domat/Ems, eine romanische Sprachinsel, mit einem für die Gegend charakteristischen «Tumma»-Hügel links hinten. Die «Tumma» bestehen aus Bergsturzmaterial, das vom Rhein kegelartig geformt worden ist.

Domat/Ems, ilôt de conservation de la langue romane, avec une colline appelée «Tumma», caractéristique de la région, à gauche. Il s'agit d'un amoncellement de débris de la montagne auquel les eaux du Rhin ont donné une forme conique.

Domat/Ems, an isolated outpost of the Romansch language, with one of the "tumma" hills, which are typical of this region. They are composed of material from landslides, which has been formed into cone-shapes by the Rhine.

101

102

103

101 Ein SBB-Güterzug hat sich nach Domat/Ems «verirrt».

Domat/Ems: un train de marchandises des CFF qui a dû s'égarer.

An SBB goods train on RhB "territory" in Domat/Ems.

102 Dies ist dank der dritten Schiene möglich, die auf dem östlichen Gleis der Doppelspur verlegt wurde. Die Fahrspannung von 11000 Volt genügt für die 15000 Volt-Lokomotive der SBB, von denen einige bei den Hilfsbetrieben entsprechend angepasst worden sind.

Ceci est possible grâce au troisième rail placé à l'est de la voie double. La tension de roulement de 11000 volts est suffisante pour les locomotives 15000 volts des CFF.

This is possible thanks to the third rail, which has been added to the eastern half of the double track. The tension of 11000 volts is sufficient for the 15000 volt locomotives of the SBB, some of which have been adapted for use on this voltage.

103 Werklok Nr. 2 der Emser Werke vor dem Fabrikkomplex. Die Zufuhr der Rohstoffe wie auch der Abtransport der Produkte dieses grössten Industriewerks in Graubünden werden zum grössten Teil per Bahn besorgt.

Locomotive no. 2 de l'usine d'Ems devant ses locaux. L'arri-

104

105

vée des matières premières ainsi que le départ des produits manufacturés du plus grand complexe industriel des Grisons s'effectuent, pour la plupart, par chemin de fer.

Locomotive No. 2 of the Emser Werke in front of the factory buildings. The delivery of raw materials to, and the transportation of the finished products from the largest industrial works of the Grisons are both effected by rail.

104 Ein RhB-Güterzug mit einem SBB-Schiebewandwagen auf Rollschemel passiert die Emser Werke. Links das Normalspur-Anschlussgleis.

Train de marchandises RhB avec wagon CFF à portes coulissantes

106

107

108

sur truck-porteur dépassant les usines d'Ems. A gauche, le rail de raccordement pour voie normale.

An RhB goods train, carrying an SBB wagon with sliding partitions on a bogie truck, passes by the Emser Werke. On the left, the connecting standard gauge line.

105 Im ebenen Rheintal ist das Zweirad ein beliebtes Zubringer-Vehikel zum Bahnhof - hier in Domat/Ems.

Sur la surface plane de la vallée du Rhin, le vélo est le meilleur moyen de transport de la maison à la gare - ici à Domat/Ems.

In the plane of the Rhine, the bike is the favourite means of transportation to the station - as seen here in Domat/Ems.

106 Kurz vor Reichenau wurde für das zweite Gleis ein Lehnenviadukt erstellt. Über den Rhein spannt sich die Strassenbrücke nach Flims und ins Oberland.

Un peu avant Reichenau, un viaduc contrebuté a été construit pour le deuxième rail. Le pont du réseau routier enjambe le Rhin en direction de Flims et du haut pays.

A short way before Reichenau, a buttressed viaduct was constructed for the second track. The road bridge spanning the Rhine leads to Flims and the upper part of the Grisons.

107 Auf der alten Fachwerkbrücke über den Hinterrhein ein Albula-Schnellzug mit einer Ge 6/6 II und einer Ge 4/4 I. Die benachbarte Strassenbrücke ist in der Spiegelung besser zu erkennen. Im Hintergrund der Kunkelspass, der durch die Taminaschlucht und nach Pfäfers—Bad Ragaz führt. Zwischen den Brücken vereinigen sich Vorder- und Hinterrhein.

Le vieux pont à treillis au-dessus du Rhin postérieur supporte un train express de la ligne de l'Albula avec deux locomotives, Ge 6/6 II et Ge 4/4 I. On aperçoit encore mieux le pont routier voisin dans son image réfléchie dans l'eau. A l'arrière-plan, le col de Kunkels vers Taminaschlucht, Pfäfers et Ragaz-les-Bains. Entre les deux ponts, il y a réunion du Rhin antérieur et du Rhin postérieur.

109

Rh B
Restaurant

110

111

112

113

An Albula express headed by a Ge 6/6 II and a Ge 4/4 I, crosses the old truss bridge over the Hinterrhein. The neighbouring road bridge is more clearly seen in the reflection of the water. In the background, a view of the Kunkels Pass leading to the Tamina ravine, to Pfäfers and Bad Ragaz. Between the two bridges, the Hinterrhein merges with the Vorderrhein.

108 Die kleine G 3/4-Lokomotive mit passendem Zug am gleichen Ort.

La petite locomotive G 3/4 en tête de train, au même endroit.

The little G 3/4 with a cute little train at the same place.

109 Ein vornehmer Zug auf der Hinterrheinbrücke von Reichenau: hinter der Ge 6/6 II-Lok zwei Speisewagen der Jahrgänge 1928 (ehemals Berninabahn) und 1929, dann ein Salonwagen von 1931 (ehemals Montreux–Berner Oberland-Bahn). Der vordere Speisewagen gehörte übrigens vor dem Krieg der Mitropa AG in Berlin.

Train spécial sur le pont du Rhin postérieur à Reichenau: derrière la locomotive Ge 6/6 II, deux wagons-restaurants des années 1928 (jadis du Chemin de fer de la Bernina) et 1929; puis, un wagon-salon datant de 1931 (autrefois du Chemin de fer Montreux–Oberland bernois). Le premier wagon-restaurant appartenait, avant la guerre, à la Société Mitropa de Berlin.

A very special train on the bridge across the Hinterrhein near Reichenau: the Ge 6/6 II heads two vintage restaurant-cars built in 1928 (formerly of the Bernina Railway) and 1929, followed by a saloon-car, constructed in 1931 (formerly of the Montreux–Berner Oberland Railway). The front restaurant-car was owned by Mitropa Ltd of Berlin before the war.

110 Der Güterzug kommt von Thusis her; rechts zweigt die Linie nach Disentis ab, die schliesslich auf dem Gornergrat endet . . .

Le train de marchandises vient de Thusis; à droite, la ligne se divise vers Disentis donnant la possibilité de continuer jusqu'au Gornergrat, au-dessus de Zermatt . . .

The goods train on the line from Thusis; on the right, the line which branches off to Disentis and eventually ends on the Gornergrat above Zermatt . . .

111 Nach einer ansteigenden Schleife wird das Plateau des Domleschg bei Bonaduz erreicht. Blick gegen den Kunkelspass.

Après une courbe escarpée, on atteint le plateau de la vallée de Domleschg, près de Bonaduz. Vue en direction du col de Kunkels.

An ascending loop leads to the plateau of the Domleschg valley near Bonaduz. View towards the Kunkels Pass.

112 Vorortzug Chur–Thusis bei Schloss Rhäzüns.

Train régional Coire–Thusis près du château de Rhäzüns.

Local train Chur–Thusis near Rhäzüns Castle.

113 Schnurgerade durchmessen der kanalisierte Hinterrhein und das Bahntrassee das Domleschg zwischen Rothenbrunnen und Rodels.

Entre Rothenbrunnen et Rodels, le Rhin postérieur canalisé et le tracé de la voie ferrée traversent la vallée de Domleschg en ligne droite.

Between Rothenbrunnen and Rodels, the canalized Hinterrhein and the railway track run straight as a die through the Domleschg valley.

114 Schloss Rhäzüns, die ehemalige Talschaftsfeste, steht auf einem steil gegen den Rhein abfallenden Felsvorsprung.

Château de Rhäzüns, jadis fortification de la vallée, dominant le Rhin du haut de son rocher escarpé qui s'avance en saillie.

Rhäzüns Castle, which used to be a fortress, dominates the Domleschg valley from a rocky tower high above the Rhine.

115 Moderne Güterwagen in der Hinterrheinschlucht bei Rothenbrunnen.

Wagons de marchandises modernes dans les gorges du Rhin postérieur, près de Rothenbrunnen.

Modern goods wagons in the ravine of the Hinterrhein near Rothenbrunnen.

114

115

116 Die Kirche von Tomils und das Schloss Ortenstein, urkundlich schon im 14. Jahrhundert erwähnt.

L'église de Tomils et le château Ortenstein, déjà mentionné dans les documents du XIVe siècle.

The church of Tomils and Ortenstein Castle, which was first mentioned in documents dating back to the 14th century.

117 Bei Cazis öffnet sich der Blick in die Schneeberge, hier auf den Piz Mitgel (3159 m) auf der Höhe von Tiefencastel.

Près de Cazis, le regard se porte sur les sommets enneigés; ici, le Piz Mitgel (3159 m), à la hauteur de Tiefencastel.

Near Cazis the view widens to include the snow-covered mountains, in this case the Piz Mitgel (3159 m), above Tiefencastel.

117

118

118 Das Dominikanerinnenkloster Cazis.

Le cloître des dominicaines à Cazis.

The Dominican convent of Cazis.

119

119 Bei Cazis Richtung Viamala.

Près de Cazis, en direction des gorges de Viamala.

Near Cazis, view towards the Viamala ravine.

120 Partie bei Cazis; der Piz Beverin (2998 m) beherrscht die Landschaft.

Paysage près de Cazis avec le Piz Beverin (2998 m) qui s'impose dans le paysage.

Landscape near Cazis, dominated by the Piz Beverin (2998 m).

120

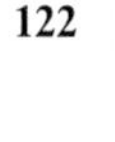

121 Thusis, bis 1903 Endstation der RhB. Rechts vom Felskopf mit der Ruine Hohenrätien der Eingang in die Viamalaschlucht, die vom Hinterrhein durchflossen wird. Die Bahn wird bis Preda vom Nebenfluss Albula begleitet.

Thusis était la toute dernière station du RhB jusqu'en 1903. A droite du rocher escarpé, avec les ruines de Hohenrätien, l'entrée dans les gorges de Viamala où coulent les eaux du Rhin postérieur. Un affluent, l'Albula, accompagne la voie ferrée jusqu'à Preda.

Thusis used to be the RhB terminal until 1903. To the right of the rocky tower with the ruins of Hohenrätien Castle, the entrance to the Viamala ravine carved by the Hinterrhein. Its tributary, the Albula, flows alongside the track as far as Preda.

122 Der Güterbahnhof Thusis mit Zementsilos und Holzverlad.

La gare de marchandises de Thusis avec les silos à ciment et l'installation de chargement de bois.

The goods station of Thusis with cement containers and wood-loading point.

123–124 Die Ge 6/6 I Nr. 405 mit grosser Anhängelast auf der Hinterrheinbrücke bei Thusis, die im zweiten Bild teilweise besser sichtbar ist.

La locomotive Ge 6/6 I, no. 405, sur le pont du Rhin postérieur près de Thusis, à la tête d'une lourde charge. Le pont est mieux visible sur la deuxième photo.

The Ge 6/6 I, No. 405, with a heavy load on the bridge across the Hinterrhein near Thusis. The second plate offers a better view of that bridge.

123

124

125

126

127

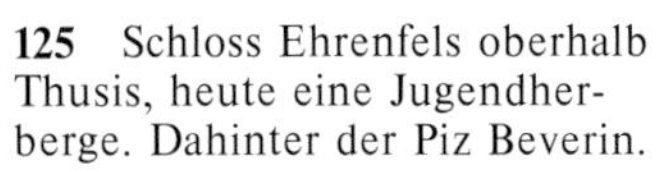

125 Schloss Ehrenfels oberhalb Thusis, heute eine Jugendherberge. Dahinter der Piz Beverin.

Le château Ehrenfels au-dessus de Thusis, aujourd'hui auberge de jeunesse. Derrière, le Piz Beverin.

Ehrenfels Castle above Thusis, today used as a youth hostel. In the background, the Piz Beverin.

126–127 Die Ruine Campi oberhalb von Sils.

Ruines de Campi au-dessus de Sils.

The ruins of Campi above Sils.

128

129

130

131

128–129 In der Schinschlucht zwischen Sils und Solis folgen sich Brücken und Tunnels in ununterbrochener Reihe. Der winterliche Autotransport Thusis–Samedan ist für Bahn und Kunden von Vorteil.

Dans les gorges de Schinschlucht entre Sils et Solis, ponts et tunnels se succèdent sans interruption. En hiver, le transport d'autos Thusis–Samedan est autant profitable au chemin de fer qu'à ses clients.

An almost unending series of bridges and tunnels traverse the ravine of the Schinschlucht between Sils and Solis. In winter, car transport between Thusis and Samedan offers advantages for both the railway company and its customers.

130 An Tunnels und Brücken sind immer wieder Reparaturen notwendig. Hier ein Betonmischer und ein Zementsilo.

Les tunnels et les ponts ont constamment besoin de réparations. Ici, un mélangeur à béton et un silo à ciment.

Tunnels and bridges constantly call for maintenance. In this case, a concrete mixer and a cement tank are needed.

131 Am Talausgang des Solistunnels wird die Folge von – übrigens ästhetisch gelungenen – Kunstbauten deutlich.

A la porte du tunnel de Solis, du côté de la vallée, la série de travaux spéciaux est apparente, une réussite esthétique d'ailleurs.

At the lower mouth of the Solis tunnel, the series of (aesthetically pleasing) tunnels and bridges can be clearly seen.

132

133

134

135

132 Die Schinschlucht geht zu Ende, und es folgt die . . .

C'est la fin des gorges de Schinschlucht, et . . .

The end of the Schinschlucht is in sight, and the train is . . .

133–134 . . . Lochtobelbrücke, ein typischer Übergang über die Seitenbäche in der Schinschlucht bei Solis.

. . . le pont Lochtobel suit, passage typique franchissant les ruisseaux secondaires des gorges de Schinschlucht, près de Solis.

. . . approaching the Lochtobel bridge, a characteristic crossing over tributaries in the Schinschlucht near Solis.

135 Die Solisbrücke ist mit 90 m über dem Wasserspiegel die höchste der RhB. Sie führt die Bahn auf die Nordseite der Albula. Dahinter die Brücke der neuen Schinstrasse.

Le viaduc de Solis, dominant de 90 m le niveau moyen des eaux, est le plus élevé du RhB. Il dirige la voie ferrée vers le côté nord de la rivière Albula. Derrière, le pont routier de la nouvelle Schinstrasse.

The Solis bridge, which is the highest on the RhB network, towering 90 m above water level, takes the railway to the northern side of the Albula river. Behind it, the bridge of the new road through the Schinschlucht.

136 Lokalzug Chur–Filisur auf der Solisbrücke.

Train régional Coire–Filisur sur le viaduc de Solis.

Local train Chur–Filisur on the Solis bridge.

136

137

138

137 Die Talkirche von Mistail unterhalb Tiefencastel ist das schönste und älteste Denkmal karolingischen Baustils in der Schweiz. Es stammt aus dem Jahr 824.

L'église de la vallée à Mistail, en-dessous de Tiefencastel: monument de style carolingien datant de 824, à la fois le plus beau et le plus ancien de Suisse.

The church of Mistail in the valley below Tiefencastel is the oldest and most beautiful monument to Carolingian architecture in Switzerland; it was built in 824.

138 Autozug Thusis–Samedan vor dem Alvascheintunnel.

Train de transport d'autos Thusis–Samedan devant le tunnel d'Alvaschein.

Car train Thusis–Samedan approaching the Alvaschein tunnel.

139 Betonbauten im brüchigen Bündner Schiefer.

Constructions en béton dans les schistes de structure feuilletée des Grisons.

Concrete constructions in the brittle slate of the Grisons.

140 Kurz vor dem Landwasserviadukt mit der Muchetta.

Juste avant le viaduc de la Landwasser, avec le mont Muchetta.

Approaching the Landwasser viaduct, with the Muchetta.

139

141

142

143

144

141 Tiefencastel am Eingang zum Oberhalbstein. Kreuzung mit der Strasse Chur–Lenzerheide–Julier–Engadin. Die Stephanskirche von 1650 gilt als stattlichster Barockbau in der Gegend.

Tiefencastel, à l'entrée de la vallée de Oberhalbstein. Croisement avec la route venant de Coire et de Lenzerheide puis se dirigeant vers le col du Julier et l'Engadine. L'église St-Stéphan, datant de 1650, est considérée comme le monument baroque le plus imposant de la région.

The village of Tiefencastel, situated at the entrance to the Oberhalbstein valley. The railway crosses the road from Chur and Lenzerheide to the Julier Pass and the Engadine. St. Stephan's Church, built in 1650, is considered to be the most impressive example of baroque architecture in the region.

145

146

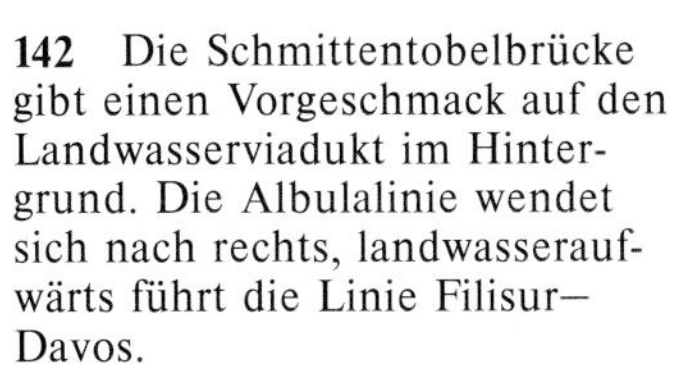

142 Die Schmittentobelbrücke gibt einen Vorgeschmack auf den Landwasserviadukt im Hintergrund. Die Albulalinie wendet sich nach rechts, landwasseraufwärts führt die Linie Filisur–Davos.

Le pont Schmittentobel ne donne qu'un petit avant-goût du viaduc de la Landwasser. La ligne de l'Albula tourne vers la droite, celle de Filisur–Davos remonte la rivière.

The Schmittentobel bridge gives a hint of what the Landwasser viaduct in the background will be like. The Albula line branches off to the right, the Davos line runs alongside the Landwasser river up to Filisur.

143–147 Zwei berühmte Bauwerke überbrücken das Landwasser: der in einem Bogen geschwungene, selbst aus Bogen bestehende, an einer senkrechten Felswand «angehängte» Landwasserviadukt bei Filisur gehört zu den Höhepunkten der Albulafahrt. Die sechs Bogen mit je 20 m Spannweite fügen sich zur 130 m langen Brücke 65 m über dem Landwasser. Der Radius beträgt nur 100 m.

Deux constructions célèbres franchissent la Landwasser: ici, le viaduc de la Landwasser près de Filisur. Construit en arc de clercle et accroché à une paroi rocheuse verticale il est l'un des plus beaux spectacles du parcours de la ligne de l'Albula. Les six voûtes d'une ouverture de 20 mètres soutiennent un tablier de pont de 130 m de long, s'élevant à 65 m au-dessus du niveau de l'eau. Le rayon est seulement de 100 mètres.

Two famous bridges span the Landwasser river: the curved Landwasser viaduct near Filisur, a beautiful arched construction is one of the highlights on the Albula line. The six arches, which are each 20 m wide, form the 130 m bridge crossing the Landwasser at a height of 65 m. The radius is only 100 m.

147

148 Schnellzug Chur–St. Moritz auf dem Landwasserviadukt. Der zweite Wagen mit weissem Streifen gehört der Furka–Oberalp-Bahn und kommt von Zermatt her.

Train express Coire–Saint-Moritz sur le viaduc de la Landwasser. Le deuxième wagon avec la rayure blanche appartient au Chemin de fer Furka–Oberalp et vient de Zermatt.

An express from Chur to St. Moritz on the Landwasser viaduct. The second car with the white stripe belongs to the Furka–Oberalp Railway and began its journey in Zermatt.

148

149

149 Der zweispännige Dampfzug ist wie üblich voll besetzt.

Le train attelé à ses deux locomotives à vapeur est complet comme d'habitude.

The double-headed steam train is full as usual.

150 Filisur; der Zug links fährt auf der Zweiglinie nach Davos.

Filisur. Le train sur la gauche se dirige sur la ligne secondaire vers Davos.

Filisur; the train on the left runs on the branch line to Davos.

151 Eine der sauberen RhB-Stationen im örtlichen Stil . . .

Une des stations soignées du RhB dans le style de la région . . .

One of the neat RhB stations, built in the local style.

152 . . . auch im Detail gepflegt.

. . . propre dans ses coins et recoins.

Careful attention is paid to every detail.

150

151

152

153 Hinter Filisur (1084 m) beginnt der Aufstieg nach Preda (1792 m) mit 35‰ Steigung. Im Hintergrund Lenzerhorn und Aroser Rothorn.

Derrière Filisur (1084 m) commence la montée vers Preda (1792 m) avec une déclivité de 35‰. A l'arrière-plan, le Lenzerhorn et l'Aroser Rothorn.

After Filisur (1084 m) begins the 1 in 28 ascent to Preda (1792 m). In the background, the Lenzerhorn and the Aroser Rothorn.

154 Wie eine schmale Furche und ans Gelände angepasst zieht sich der Schienenstrang bergwärts.

La voie ferrée poursuit son chemin vers la montagne en s'adaptant au relief.

Closely following the topography, the narrow track winds up the mountain side.

155

155 Der Greifensteintunnel über Filisur ist der erste einer ganzen Reihe von Kehrtunnels zwischen Filisur und Preda.

Le tunnel Greifenstein, au-dessus de Filisur, est le premier d'une série de tunnels hélicoïdaux entre Filisur et Preda.

The Greifenstein tunnel above Filisur is the first in a series of spiral tunnels between Filisur and Preda.

159 Bergün. Die Dorfkirche, ▷ deren älteste Teile von 1188 stammen, wurde um 1500 umgebaut; der «Meierturm» geht auf die gleiche Epoche zurück. Dahinter die Aroser Rothornkette.

Bergün. L'église du village dont les plus vieilles parties datent de 1188 fut transformée vers l'an 1500. La «Meierturm» date de la même époque. Derrière, la chaîne de l'Aroser Rothorn.

Bergün. The village church, the oldest parts of which were constructed in 1188, was re-built around 1500. The "Meier Tower" dates from the same period. In the background, the Aroser Rothorn.

156

157

158

156 Der Steilhang zwischen Filisur und Stugl birgt Gefahren – die Bahn ist nicht unvorbereitet.

Le danger est toujours présent entre Filisur et Stugl à cause de l'escarpement. La vigilance est à l'ordre du jour.

The steep mountain slope between Filisur and Stugl presents various dangers, for which the RhB is well prepared.

157 Kurze «Aussichtslücke» vor Stugl.

Une trouée de lumière avant d'arriver à Stugl.

A momentary glimpse of daylight between two tunnels below Stugl.

158 Auch hier eine Aussichtslücke – Bergün durch einen Brückenbogen gesehen. Der «Meierturm» stammt vom Ende des 12. Jahrhunderts, der Glokkenturm wurde anfangs des 17. Jahrhunderts aufgesetzt.

Ici aussi, une brèche dans le paysage: Bergün vu à travers un arc de viaduc. La «Meierturm» date de la fin du XIIe siècle, le clocher fut érigé au début du XVIIe siècle.

Another short glimpse, this time of Bergün, through an arch of a short viaduct. The "Meier Tower" dates back to the late 12th century, the bell tower was added at the beginning of the 17th century.

159

160

160 Dieser Zug rollt dem Talkessel von Bergün entgegen. In der Mitte der Piz Ela (3338 m).

Ce train roule vers Bergün dans le bassin de la vallée. Au milieu, le Piz Ela (3338 m).

This train descends towards Bergün, situated at the bottom of the valley. In the middle, the Piz Ela (3338 m).

161

161 Das hoch gelegene Bergdorf Latsch über Bergün. Hier wurde einer der Heidi-Filme gedreht.

Le village d'altitude de Latsch, au-dessus de Bergün. Un des films de Heidi fut tourné ici.

The mountain village of Latsch high above Bergün. One of the Heidi films was made here.

162

163

162 Durch den Mittelbogen dieser Brücke wurde Bild 158 aufgenommen.

La photo no. 158 a été prise à travers l'arc du milieu de ce viaduc.

Photo No. 158 was taken looking through the centre arch of this viaduct.

163 Bei Muot gewinnt man Einblick in die Bodengestalt, wo die ursprünglich horizontalen Schichten durch gewaltigen Druck mehrfach gefaltet worden sind.

Près de Muot, un coup d'œil sur la morphologie du sol nous montre les couches horizontales primitives, plusieurs fois pliées par l'action de fortes pressions.

The geological formation of this area is revealed near Muot. The originally horizontal layers were folded several times by enormous pressure.

164

165

166

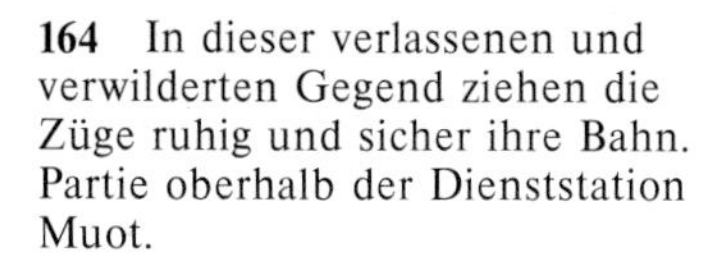

164 In dieser verlassenen und verwilderten Gegend ziehen die Züge ruhig und sicher ihre Bahn. Partie oberhalb der Dienststation Muot.

Dans ces régions délaissées et sauvages, le chemin de fer poursuit son chemin calmement et sûrement. Partie du tronçon audessus de la station de Muot.

In this secluded and rugged region, nothing hinders the smooth, safe running of the trains. A view of a section above the service point of Muot.

165–166 Schutzgalerien in jener Gegend. Der Fahrleitungsmast ist durch einen Lawinenkeil besonders geschützt.

Galeries de protection de cette région. Le mât du fil de contact est particulièrement bien protégé par un pare-avalanche cunéiforme.

Galleries in the above-mentioned region. The wedge-shaped construction attached to this pole offers especially good protection against avalanches.

167–169 Wie bei Wassen an der Gotthardlinie: zwei Kehrtunnel und drei übereinander liegende Bahnabschnitte hinter Bergün.

Comme dans le voisinage de Wassen sur la ligne du Gothard: deux tunnels hélicoïdaux et trois tronçons de voie ferrée superposés, derrière Bergün.

A similar view to the one near Wassen on the Gotthard line: two spiral tunnels and three track sections on different levels after Bergün.

167

168

169

170

170 Die erste Kehrschleife oberhalb Bergün führt teilweise durch einen Tunnel. Blick ins Val Tisch.

La première grande courbe au-dessus de Bergün conduit partiellement à travers un tunnel. Vue sur le Val Tisch.

The first spiral loop above Bergün is partly laid in a tunnel. Looking into the valley of Tisch.

171 Die Steilstufe zwischen Muot und Naz unterhalb Preda wird mit drei Kehrtunnels und verschiedenen Steinbogenbrükken auf spektakuläre Weise überwunden. Das Bild zeigt eine Teilübersicht: der Zug fährt über den Albulaviadukt I talwärts Richtung Bergün; dahinter die Albulaviadukte II und III; im Vordergrund ein Stück des soeben befahrenen Rugnux-Lehnenviadukts. Die Albulastrasse dient im Winter als beliebte Schlittelgelegenheit.

Entre Muot et Naz, en-dessous de Preda, on est venu à bout de l'escarpement en gradins de façon spectaculaire, à l'aide de trois tunnels hélicoïdaux et de divers viaducs à voûtes de pierre. La photo en montre une vue partielle: le train traverse le viaduc Albula I vers la vallée en direction de Bergün; derrière, les viaducs Albula II et III; à l'avant-plan, une partie du viaduc contrebuté Rugnux que le train vient de franchir. La route de l'Albula devient en hiver une piste de luge très appréciée.

The steep grade between Muot and Naz, below Preda, is negotiated in a rather spectacular way by three spiral tunnels and various stone-arch bridges. The train descends towards Bergün across the Albula viaduct I; in the background, the Albula viaducts II and III; in the foreground a part of the buttressed viaduct Rugnux. In winter, the Albula road is often used for tobogganing.

171

172

172 Der Zug passiert den Albulaviadukt III und wird bald darauf den Toua-Kehrtunnel verlassen.

Le train franchit le viaduc Albula III et sortira du tunnel hélicoïdal Toua aussitôt après.

The train crosses the Albula viaduct III and will soon emerge from the Toua spiral tunnel.

173

173 Der Dampfzug erklimmt den Abschnitt nach dem Kehrtunnel von Muot.

Le train à vapeur gravit le tronçon après le tunnel hélicoïdal de Muot.

The steam train climbs the grade after the spiral tunnel at Muot.

174

174 Der Güterzug mit Zementsilo-, Kiesbehälter- und Kesselwagen rollt auf dem Albulaviadukt IV talwärts. Zuvor hat er das Streckenstück im Vordergrund von rechts nach links befahren.

Un train de marchandises composé de silos à ciment, de containers de gravier et de wagons-citernes roule sur le viaduc Albula IV vers la vallée. Avant, il a parcouru, de gauche à droite, la section du trajet apparaissant au premier plan.

A goods train with tank wagons containing cement and gravel is heading for the valley across the Albula viaduct IV, after passing the section in the foreground from right to left.

175 Hier strebt der Zug mit zwölf Wagen über den Viadukt III bergwärts. Er kam von links her, durchfuhr einen Kehrtunnel im Gegenuhrzeigersinn und wird nach einer offenen Schleife auf dem Trassee rechts erscheinen.

Ce train, composé de douze wagons, franchit péniblement le viaduc III en direction de la montagne. Venant de la gauche, il a traversé un tunnel hélicoïdal dans le sens inverse des aiguilles d'une montre et apparaîtra sur le tracé, à droite, après une dernière courbe à ciel ouvert.

This train on the Albula viaduct III pulls twelve cars up the mountain. Approaching from the left, it ran through a spiral tunnel anticlockwise and, after an open loop, will appear on the track section on the right.

176 Dieser Zug hat Preda durchfahren und die lange Abfahrt nach Chur vor sich. Dahinter die Berge im Bereich des Albulapasses, der bei La Punt im Oberengadin endet.

Après avoir traversé Preda, il reste à ce train la longue descente vers Coire. Derrière, les montagnes de la région du col de l'Albula qui mène à La Punt dans la haute Engadine.

After Preda this train approaches the long descent towards Chur. In the background, the mountain peaks of the Albula Pass, which ends at La Punt in the Oberengadine.

177 Ein Schlittel-Extrazug ist von Bergün her in Preda eingetroffen.

Un train spécial amenant des amateurs de luge est arrivé à Preda en provenance de Bergün.

A special train, carrying tobogganing enthusiasts, reaches Preda from the direction of Bergün.

178 Über dem Eingang zum 5866 m langen Albulatunnel ist eine Inschrift mit dem Baujahr 1903 zu erkennen.

A l'entrée du tunnel de l'Albula, d'une longueur de 5866 m, se trouve une inscription indiquant l'année de construction (1903).

The mouth of the 5866 m Albula tunnel. The inscription above it gives the year of construction: 1903.

179 Die Fahrt durch den Tunnel dauert heute etwa fünf Minuten. Das soll aber nicht vergessen lassen, dass 1898 je 500 Arbeiter von Preda und Spinas hier mit dem Bau dieses höchstgelegenen Alpendurchstichs in Europa beginnen mussten. Schwere Wassereinbrüche und schlechtes Gestein hemmten den Vortrieb zeitweise derart, dass für 6,5 m Stollenlänge $2\frac{1}{2}$ Monate gebraucht wurden. Der Durchstich fand am 29. Mai 1902 statt, die Eröffnung der Linie am 1. Juli 1903. Von seiner Mitte fällt der Tunnel nach beiden Seiten um 10 ‰, womit der Ablauf des Wassers sichergestellt ist.

La traversée du tunnel dure aujourd'hui à peu près cinq minutes. N'oublions pas cependant qu'en 1898 500 ouvriers, à chacune des extrémités de Preda et de Spinas, ont commencé les travaux de construction du tunnel alpin le plus haut d'Europe. En raison d'abondantes infiltrations d'eau et de mauvaises formations géologiques, deux mois et demi étaient nécessaires au percement d'une galerie de 6,5 m. La percée eut lieu le 29 mai 1902 et l'ouverture de la ligne le 1er juillet 1903. A partir de son milieu, le tunnel a une déclivité de 10 ‰ vers les deux sorties, ce qui garantit l'écoulement de l'eau.

The run through the tunnel takes about five minutes nowadays. Nevertheless, it should be remembered that in 1898, 500 workers were needed at Preda and Spinas respectively to start construction on Europe's highest tunnel through the Alps. From time to time, heavy flooding and difficult rock formation obstructed the advance to such a degree that it took two and a half months to gain 6.5 m. The break-through took place on 29th May 1902, the line was opened on 1st July 1903. The tunnel is built on a gentle incline from its centre point (1 in 100), thereby ensuring water drainage.

180 Der Tunnelausgang bei Spinas, mit 1818 m ü. M. die höchstgelegene Station der Albulalinie.

Sortie du tunnel de l'Albula à Spinas, la plus haute station de la ligne de l'Albula (1818 m).

The exit of the Albula tunnel at Spinas, which is the highest station on the Albula line at 1818 m.

178

179

180

181

181 Gedenkstätte in Preda.

Plaque commémorative à Preda.

Commemorative plaque in Preda.

182

182 Die Autozüge Samedan–Thusis verkehren nur im Winter.

Le train de transport d'autos Samedan–Thusis circulant en hiver seulement.

The special car trains Samedan–Thusis operate only in winter.

183 Ein schwerer Schnellzug hat zur Hälfte die Stationshorizontale von Spinas erreicht. Die andere Hälfte rollt noch auf der 32‰-Steigung.

La moitié du train express a rejoint le plan horizontal de la station de Spinas; l'autre moitié roule encore sur la dénivellation de 32‰.

The first half of the long express train has reached the flat section of the station at Spinas, the second half is still on the 1 in 31 grade.

▷ **184** Erster Blick ins Engadin oberhalb von Bever. Der Zug in Richtung St. Moritz überquert den Beverin, der das für seine winterliche Kälte berühmte Val Bever entwässert. Bis 1880 waren hier sogar Bären heimisch. Links die im Piz Utèr gipfelnde Bergkette, rechts der Muottas Muragl, dazwischen das Val Champagna.

Premier coup d'œil sur l'Engadine au-dessus de Bever. Le train en route vers Saint-Moritz franchit la rivière Beverin qui draine les eaux de la Val Bever, réputée pour ses rigoureux hivers. Jusqu'en 1880, les ours étaient les hôtes de la région. A gauche, la chaîne de montagnes ayant pour sommet le Piz Utèr; à droite, le mont Muottas Muragl; au milieu, la Val Champagna.

First sight of the Engadine above Bever. The train to St. Moritz crosses the Beverin river flowing out of the Bever valley, which is famous for its very cold winters. Bears were found in this region up to 1880. On the left, the mountain range with its highest peak, the Piz Utèr; on the right, the Muottas Muragl; in the centre, the Champagna valley.

184

185

185 Das Val Bever; Blick in Richtung Albula.

Le Val Bever, en direction du col de l'Albula.

The Bever valley, looking towards the Albula Pass.

186 Lokalzug St. Moritz–Schuls bei Bever, mit dem Piz Rosatsch.

Train régional Saint-Moritz–Schuls, près de Bever, avec le Piz Rosatsch.

Local train St. Moritz–Schuls near Bever. In the background, the Piz Rosatsch.

187 Der Zug aus dem Unterengadin trifft in Bever ein. Nach links zweigt die Albulalinie ab.

Le train en provenance de la basse Engadine arrive à Bever. A gauche, la ligne de l'Albula se sépare.

The train coming from the Unterengadine, arrives in Bever. The Albula line branches off to the left.

188 «Fachsimpeleien» im Führerstand eines CC-«Krokodils».

On parle «métier» dans la cabine d'une «Crocodile» CC.

"Talking shop" in the cab of a CC "Crocodile" locomotive.

186

187

188

189

189 Einfahrt des Zuges von Spinas her in Bever. Die sehenswerte Kirche stammt aus dem Jahr 1665. Die Berge säumen die rechte Seite des Inntals in Richtung Zuoz.

Arrivée à Bever du train en provenance de Spinas. L'église locale, datant de 1665, mérite d'être visitée. Les montagnes longent le côté droit de la vallée de l'Inn, en direction de Zuoz.

The train arriving from Spinas pulls into the station of Bever. The noteworthy church dates back to 1665. The mountain range stretches along the right side of the valley of the Inn. View in the direction of Zuoz.

190 Hier gilt es nach dem Unterengadin und nach Pontresina–Bernina umzusteigen, sofern nicht direkte Wagen zur Verfügung stehen. Der Bahnhof Samedan (Betonung auf dem «e») ist mit den modernsten Stellwerk- und Signaleinrichtungen ausgestattet. Hinter der Stationstafel der Piz de la Margna links vom Malojapass.

Ici, il y a changement de train en direction de la basse Engadine et de Pontresina–Bernina lorsqu'il n'y a pas de wagons directs à disposition. La gare de Samedan (accent mis sur le «e») est équipée des postes d'aiguillage et des installations les plus modernes. Derrière l'enseigne de la station, le Piz de la Margna, à gauche du col de la Maloja.

Travellers to the Unterengadine and to Pontresina–Bernina may have to change at this point. The station of Samedan (stress on the "e") is equipped with the latest signal boxes and installations. Behind the station sign, the Piz de la Margna on the left of the Maloja Pass.

191 Eine umgebaute Ge 2/4-Lok von 1913 rangiert in Samedan.

Une locomotive Ge 2/4 de 1913, transformée, servant aux manœuvres à Samedan.

A Ge 2/4, built in 1913, which has been adapted for shunting service, at Samedan.

192

193

194

195

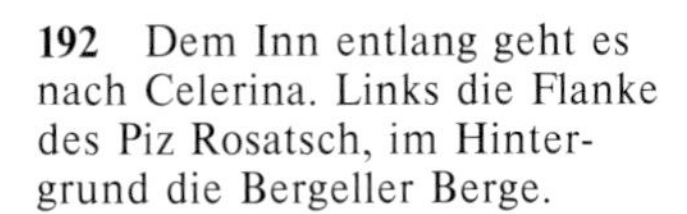

192 Dem Inn entlang geht es nach Celerina. Links die Flanke des Piz Rosatsch, im Hintergrund die Bergeller Berge.

On atteint Celerina en suivant la rivière Inn. A gauche, le flanc du Piz Rosatsch; à l'arrière, les montagnes surplombant la vallée de la Bergell.

The line to Celerina runs alongside the Inn. On the left, the slopes of the Piz Rosatsch; in the background, the mountains above the Bergell valley.

193 Der Eingang ins Val Bernina; in der Mitte der Piz Albris, darunter in der Ebene die bekannte Kirche von San Gian aus dem 11. Jahrhundert.

L'entrée dans la Val Bernina; au milieu, le Piz Albris, en-dessous, dans la plaine, la fameuse église San Gian, datant du XIe siècle.

The entrance to the Bernina valley; in the middle, the Piz Albris, in the plane below the well-known church of San Gian, dating from the 11th century.

194 Celerina in Richtung Unterengadin.

Celerina, en direction de la basse Engadine.

Celerina, looking towards the Unterengadine.

195 Letzter Anstieg nach St. Moritz durch die enge Innschlucht.

Dernière montée vers Saint-Moritz, à travers les gorges de l'Inn.

Final grade before St. Moritz through the narrow ravine of the Inn.

196

197

198

199

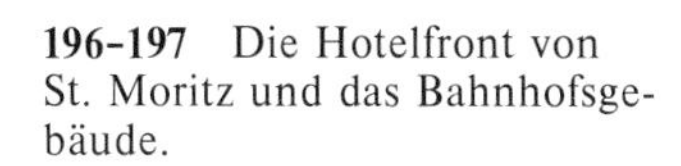

196-197 Die Hotelfront von St. Moritz und das Bahnhofsgebäude.

Rangée d'hôtels de Saint-Moritz et la gare.

A view of the big hotels of St. Moritz and the station.

198 Eine Jazzband spielt auf dem Perron 1 des Bahnhofs. Die Schwellenhöhe beträgt übrigens 1778 m ü. M.

Orchestre de jazz en pleine activité sur le quai no. 1 de la gare. On enregistre une altitude de 1778 m.

A jazz band performing on platform 1 of the station. The track is 1778 m above sea level.

199 St. Moritz ist Stützpunkt eines stark frequentierten Alpenpostnetzes mit Verbindungen bis nach Deutschland und Italien.

Saint-Moritz est un point d'appui du réseau de transport alpin très fréquenté, avec des raccordements jusqu'en Allemagne et en Italie.

St. Moritz is a major link in the busy coach service across the Alps to Germany and Italy.

200

200–202 «Tag der offenen Tür» in St. Moritz. Zur Schau gestellt wird altes und neues Rollmaterial sowie die Dampf-Schneeschleuder für die Berninastrecke aus dem Jahr 1912.

Journée «portes ouvertes» de visite à la gare de Saint-Moritz. On y expose le matériel roulant, ancien et nouveau, ainsi que le chasse-neige rotatif à vapeur (datant de 1912) de la ligne de la Bernina.

"Open Day" in St. Moritz. On show are old and new rolling stock and the steam rotary snowplough from 1912, used on the Bernina line.

201

202

203

203 Die Aufnahme zeigt den Bernina-Express bei Punt Muragl, gezogen von der ältesten Elektrolok der RhB aus dem Jahr 1914. Die Wagen gehören zu den RhB Einheitswagen Typ III und sind die komfortabelsten Schmalspur-Personenwagen. Im Hintergrund der Piz Badella.

La photo montre le «Bernina Express» près de Punt Muragl, tiré par la plus ancienne locomotive électrique du RhB, datant de l'année 1914. Les wagons font partie du parc de wagons standardisés type III du RhB et sont les plus confortables voitures de voyageurs pour la voie étroite. A l'arrière, le Piz Badella.

The Bernina Express near Punt Muragl headed by the oldest electric RhB locomotive, which was constructed in 1914. The coaches are the most comfortable narrow gauge models – the RhB standard Type III. In the background the Piz Badella.

Bernina-Bahn BB
Chemin de fer de la Bernina BB
Bernina Railway BB

1908/1910	Eröffnet / Ouverture / Opened
61 km	Länge / Longueur / Length
70 ‰	Maximale Neigung / Déclivité maximale / Maximum gradient (1 in 14)
2257 m	Höchster Punkt / Point culminant / Highest point
1000 V	Gleichstrom / Courant continu / Direct current
1943	Mit RhB fusioniert / Fusion avec le RhB / Amalgamated with RhB

Die Bernina-Bahn wurde in einer Epoche des mächtig aufstrebenden Fremdenverkehrs als Touristenbahn gebaut und betrieben. Anfänglich beschränkte sich der Verkehr auf die Sommersaison; 1910 wurde dann im Interesse der abgelegenen Talschaft des Puschlav der Ganzjahresbetrieb aufgenommen. Jahrzehntelang war die Bahn im Winter das einzige Bindeglied zwischen dem Puschlav und der übrigen Schweiz; entsprechend gross waren – und sind – die Anstrengungen, die Bahn unter Anwendung aller technischen Mittel und mit dem ausserordentlichen Einsatz des Personals auch unter den widrigsten Umständen offenzuhalten. Die Bernina-Bahn ist die einzige Bahn, welche die Alpenkette von Nord nach Süd ohne Tunnel überquert und dabei Höhenlagen von über 2000 m ü. M. erreicht. Auch ihre maximale Neigung von 70 Promille fällt aus dem Rahmen. Auf Zahnstangenabschnitte wurde von vornherein verzichtet.

Um so verwunderlicher ist die Tatsache, dass der Transitgüterverkehr über die Bernina in den letzten Jahrzehnten eine für die Bahn und für den Kanton so erhebliche Bedeutung erlangt hat. Es sind nicht mehr nur die Touristen anzutreffen, die dem lockenden Hinweisschild «Bernina–Tirano–Mailand–Venedig usw. usw.» folgen, sondern auch Güterzüge, die Heizöl und Benzin, Futtermittel und Getreide und vieles andere mehr vom Grenzbahnhof Tirano ins Landesinnere befördern. Hinzu kommt seit einigen Jahren der Zubringerdienst zu den Luftseilbahnen im Berninagebiet, die vor allem im

La ligne de la Bernina fut construite à une époque de développement touristique énorme et fut exploitée à cet effet. Au début, on la mit en service seulement pendant la saison estivale; en 1910, elle fut ouverte toute l'année, dans l'intérêt de la vallée éloignée de Poschiavo. Durant plusieurs décennies, le chemin de fer était, en hiver, le seul lien entre le Val Poschiavo et le reste de la Suisse. On s'efforça toujours, aujourd'hui encore, de garder la voie ouverte en toutes circonstances, en ayant recours à tous les moyens techniques à disposition et à l'effort du personnel. Le chemin de fer de la Bernina est le seul à traverser la chaîne des Alpes du nord au sud sans tunnel, atteignant une altitude de plus de 2000 mètres. Sa déclivité maximale de 70‰ est également exceptionnelle. Dès le début, on renonça aux tronçons à crémaillère.

Il est d'autant plus étonnant de constater que le transit de marchandises empruntant la Bernina ait acquis une telle importance au cours des dernières décennies, au profit du canton et de la ligne de chemin de fer. Ce ne sont pas seulement les touristiques qui arborent l'écriteau séduisant «Bernina–Tirano–Milan–Venise etc.», mais aussi les innombrables wagons de marchandises transportant mazout et essence, fourrages et céréales ainsi que bien d'autres chargements, de la gare frontière de Tirano vers l'intérieur du pays. A celà s'ajoutent encore, depuis quelques années, les trains de neige qui amènent les passionnés de sport jusqu'aux cabines téléphériques de la région de la Bernina.

The Bernina Railway was built and brought into operation as a tourist railway in an era of rapidly increasing tourism. At the beginning, its service was limited to the summer season. It was in the interest of the outlying valley of the Puschlav, that the service was extended to the whole year in 1910. For several decades, the Bernina Railway represented the only winter connection between the Puschlav and the rest of Switzerland. Correspondingly great efforts were – and still are – made to keep the line open even under the most adverse conditions; this is only possible due to the use of all technical means available and to the high devotion shown by the staff. The Bernina line is the only railway to cross the Alps from the north to the south without a tunnel, reaching heights of more than 2000 meters. Even its maximum gradient of 1 in 14 is outstanding. There was never any question of using rack-and-pinion sections.

For this reason it is quite astonishing that, in the last few decades, transit goods traffic across the Bernina has become very important both for the railway and the Canton. Today, there are not only tourists who follow the inviting sign "Bernina–Tirano–Milan–Venice etc.", but also numerous goods trains carrying fuel oil and petrol, fodder and grain and many other goods from the border station of Tirano inland. In addition, the passenger trains carry tourists to the various cable cars in the Bernina massif, which especially in winter attract huge crowds of sports addicts.

The railway has constantly been

Winter das Ziel zahlreicher Sportfreunde bilden.

Die Bahn ist seit ihrer Übernahme durch die RhB stetig ausgebaut und modernisiert worden. Schon in den dreissiger Jahren wurde das Trassee auf der Hochebene des Berninapasses an verschiedenen Stellen neu angelegt, um es besser vor Schneeverwehungen und Lawinen zu schützen. In den letzten Jahren wurden die elektrischen Anlagen und das Rollmaterial erneuert, womit die Bahn an Leistungsfähigkeit und Komfort entscheidend gewonnen hat.

Depuis sa reprise par le RhB, la ligne de la Bernina a été constamment développée et modernisée. Déjà dans les années 30, son tracé sur le haut plateau du col de la Bernina fut refait à plusieurs endroits, pour mieux parer aux avalanches et aux accumulations de la neige par le vent. Les installations électriques et le matériel roulant ont subi, pendant les dernières années, une transformation complète, assurant l'amélioration du transport ferroviaire, tant au point de vue rendement qu'au point de vue confort.

improved and modernized since it was taken over by the RhB. Back in the thirties, the track on the plateau of the Bernina Pass was relaid in several places in order to give it better protection from snow-drifts and avalanches. In the last few years, the electric installations and the rolling stock have been completely replaced. This has decisively raised the efficiency and the standard of comfort of the Bernina Railway.

204 Hier geht die Albula-Strecke der RhB zu Ende. Am weitesten nach Süden reicht das gekrümmte Gleis im Vordergrund, das nach Überbrückung der Strasse bald am Prellbock endet, aber als Fortsetzung nach Maloja und darüber hinaus hätte dienen sollen. Hinter dem St. Moritzer See erheben sich Piz Muragl, Languard und Albris.

Ici se termine la ligne de l'Albula pour le RhB. Au premier plan, cette voie en courbe est celle qui s'avance le plus au sud, aboutissant presque tout de suite au butoir, après avoir franchi la route; elle aurait cependant dû servir de raccordement vers Maloja. Derrière le lac de Saint-Moritz s'élèvent le Piz Muragl, le Piz Languard et le Piz Albris.

This is the end of the RhB Albula line. The curved track in the foreground leads to the southern-most point, which is represented by a buffer-stop on the other side of the road bridge; this line should have been extended on past Maloja. Behind the Lake of St. Moritz, the Piz Muragl, the Piz Languard and the Piz Albris.

205 Die Berninalinie zwischen Celerina-Staz und Punt Muragl – einfache Gleichstrom-Fahrleitung mit Holzmasten. Die Kirche San Gian aus dem 11. Jahrhundert hat ihren Turm im Jahr 1682 als Folge eines Blitzschlags verloren. Das Innere ist restauriert worden.

La ligne de la Bernina entre Celerina-Staz et Punt Muragl a un simple fil de contact à cou-

206

207

rant continu avec mâts en bois. L'église San Gian, datant du XIe siècle, a perdu son clocher, frappé par la foudre, en 1682. L'intérieur a été restauré.

The Bernina line between Celerina-Staz and Punt Muragl, a simple direct current contact wire carried by wooden poles. San Gian Church, which was built in the 11th century, lost its tower in 1682 when it was struck by lightning. The interior has been restored.

206 Bergwärts fahrender Bernina-Zug bei Punt Muragl. Im Vordergrund kreuzt die RhB-Linie Samedan–Pontresina den von der Bernina herunterfliessenden Flazbach, der bei Samedan in den Inn mündet.

Train de la ligne de la Bernina près de Punt Muragl. Au premier plan la ligne RhB Samedan–Pontresina croise la rivière Flaz venant de la Bernina et se jetant dans l'Inn près de Samedan.

A train heading up the Bernina line near Punt Muragl. In the foreground, the RhB line Samedan–Pontresina crosses the Flaz river, flowing down from the Bernina and merging with the Inn near Samedan.

207 Der von Samedan herkommende Zug hat demnächst seinen Endbahnhof Pontresina erreicht. Davor die ab Punt Muragl praktisch parallel verlaufende Berninalinie. Weit über dem Kurort der Gipfel des Piz Languard (3262 m).

Le train en provenance de Samedan est bientôt arrivé à la station terminus: Pontresina. Juste devant, la ligne de la Bernina qui roule de façon pratiquement parallèle à partir de Punt Muragl. Dominant la station touristique du haut de son sommet lointain, le Piz Languard (3262 m).

The train arriving from Samedan will soon reach the end of its run at the station of Pontresina. In front, the Bernina line, which runs more or less parallel to it from Punt Muragl. High above the resort of Pontresina, the summit of the Piz Languard (3262 m).

208

208 Der Lokalzug St. Moritz – Alp Grüm oberhalb der Station Surovas entlang der Ova da Bernina. Der offene, gelb gestrichene Aussichtswagen wird von den Touristen bei schönem Wetter geschätzt.

Le train régional Saint-Moritz – Alp Grüm au-dessus de la station de Surovas, le long du ruisseau Ova da Bernina. Par beau temps, les touristes apprécient le wagon panoramique ouvert de couleur jaune.

A local train St. Moritz – Alp Grüm above the station at Surovas along the Bernina river. The yellow open panoramic coach is a great tourist attraction in fine weather.

209 Der Bahnhof von Pontresina liegt etwas abseits des Ortes, sozusagen am Waldrand. Die Stammholzladungen sind für Italien bestimmt. Eines der Bahnhofgleise ist mit einer umschaltbaren Fahrleitung für 11000 Volt Wechselstrom oder 1000 Volt Gleichstrom ausgerüstet.

La gare de Pontresina est située un peu à l'écart, pour ainsi dire à l'orée de la forêt. Les chargements de bois en grumes sont destinés à l'Italie. Une des voies de la gare est équipée d'un fil de contact pouvant être branché soit sur un courant alternatif de 11000 volts, soit sur un courant continu de 1000 volts.

The station of Pontresina is situated quite a way out of the village, near the edge of a forest. The logs are intended for Italy. One of the tracks within the station area is equipped with a contact wire which can be switched from 11000 volts alternating current to 1000 volts direct current.

210 Gleich nach der Abfahrt in Pontresina wird der Rosegbach überquert. Hinter dem autofreien Rosegtal erheben sich die Sellagruppe und der Piz Glüschaint, westliche Ausläufer der Bernina.

Tout de suite après avoir quitté Pontresina, on franchit le ruisseau Roseg. Derrière la vallée du même nom, exempte de trafic routier, s'élèvent le groupe de montagnes de la Sella et le Piz Glüschaint, contreforts de la Bernina à l'ouest.

Soon after leaving Pontresina, the train crosses the Roseg river. All motor traffic is banned from the valley of the same name. In the background rise the peaks of the Sella group and the Piz Glüschaint to the west of the Bernina massif.

211 Zwischen Morteratsch und Pontresina. Auf der Berninalinie wird der Bernina-Express während der Saison meistens mit zwei Triebwagen in Vielfachsteuerung geführt.

Entre Morteratsch et Pontresina. Sur la ligne de la Bernina, le «Bernina Express» est formé la plupart du temps de deux automotrices à commande multiple.

Between Morteratsch and Pontresina. During the tourist season the Bernina Express usually consists of two multiple-controlled motorcoaches.

212 Auch hier erkennt man den Zug nur knapp am obern Rand des Berninabaches. Umso deutlicher erscheint der Piz Palü hinter dem Morteratschgletscher.

Ici aussi, le train est à peine visible tout près du bord du ruisseau Bernina, alors que le Piz Palü est très distinct derrière le glacier du Morteratsch.

Here, too, it is very difficult to spot the train on the upper bank of the Bernina river, The view is dominated by the Piz Palü behind the Morteratsch glacier.

213 Bei Bernina suot (= Berninahäuser); Rückblick Richtung Pontresina.

Près de Bernina Suot. Regard en arrière vers Pontresina.

Near Bernina Suot; looking back towards Pontresina.

214 Die Montebellokurve oberhalb Morteratsch. Den Hintergrund bildet das zerklüftete Massiv des Piz Albris, in welchem sich die seinerzeit ausgesetzten Steinböcke tummeln.

La courbe de Montebello au-dessus de Morteratsch. L'arrière-plan est occupé par le massif crevassé du Piz Albris, où une famille de bouquetins a de nouveau été remise dans son environnement naturel, depuis quelques années.

The Montebello curve above Morteratsch. In the background the rugged massif of the Piz Albris, where a herd of ibex was re-introduced a few years ago.

212

213

214

215

216

215 Schlucht oberhalb Morteratsch, eine Attraktion für die Passagiere.

Gorges au-dessus de Morteratsch, une attraction pour les passagers.

The ravine above Morteratsch excites the interest of the passengers.

216 Die berühmte Bergaussicht von der Montebellokurve aus. Der Morteratschgletscher entspringt bei der schwarzen Kuppe, der Crast' Agüzza. Links die Bellavista, rechts der höchste von allen, der Piz Bernina (4049 m) mit dem als Zugang dienenden Bianco-Grat an seiner rechten Flanke. Ganz rechts der Piz Morteratsch.

La vue panoramique célèbre, à partir de la courbe de Montebello. Le glacier du Morteratsch se détache près du dôme noir Crast' Agüzza. A gauche, le mont Bellavista; à droite, le plus haut de tous, le Piz Bernina (4049 m) avec, sur son flanc droit, la crête Bianco qui lui sert d'accès. Tout à fait à droite, le Piz Morteratsch.

The famous mountain view, seen from the Montebello curve. The Morteratsch glacier stretches down from the black Crast' Agüzza. On the left, the Bellavista; on the right, the highest peak, the Piz Bernina (4049 m) with the Bianco ridge leading up to the summit. On the far right, the Piz Morteratsch.

217 

218 

219 

220 

217 Der Bernina-Express mit zwei Gem 4/4-Lokomotiven für Diesel- und Gleichstrombetrieb. Die Dieselmotoren arbeiten nur auf dem Wechselstrom-Stammnetz. Im Hintergrund der Piz Lagalb (durch eine Seilbahn erschlossen). Die Seilbahn vorn führt auf die Diavolezza.

Le «Bernina Express» avec deux locomotives Gem 4/4 mixtes diesel et courant continu. Les moteurs Diesel ne sont utilisés que sur le réseau principal à courant alternatif. A l'arrière-plan, le Piz Lagalb (relié par téléphérique). Le téléphérique à l'avant monte à la Diavolezza.

The Bernina Express, headed by two Gem 4/4 engines, which can run on diesel as well as on direct current. The Diesel engines are only used on the main network, which is powered by alternating current. In the background, the Piz Lagalb (accessible by means of a cable car). The cable car in the foreground leads up to the Diavolezza.

218 Unterhalb des Berninapasses. Der Lokalzug fährt Richtung Pontresina.

En-dessous du col de la Bernina, un train régional en direction de Pontresina.

Below the top of the Bernina Pass, a local train descends to Pontresina.

219 Die beiden Gem 4/4-Lokomotiven am Fuss des Piz Alv.

Les deux locomotives Gem 4/4, devant le Piz Alv.

The two Gem 4/4 locomotives in front of the Piz Alv.

220 Nach links geht es dem Pass entgegen. Rechts Piz Cambrena und Piz Arlas.

Vers la gauche, on se dirige vers le col. A droite, le Piz Cambrena et le Piz Arlas.

To the left, the line leads up to the top of the pass. On the right, the Piz Cambrena and the Piz Arlas.

221

221 Ein Zug aus dem Süden trifft in Ospizio Bernina ein. Rechts ist der Lago Bianco sichtbar.

Un train en provenance du sud arrive à Ospizio Bernina. A droite, on aperçoit le Lago Bianco.

A train coming from the south arrives in Ospizio Bernina. On the right, part of the Lago Bianco is visible.

222

223

224

222 Die Berninapasshöhe nach Süden mit Lago Bianco.

Le sommet du col de la Bernina en direction du sud, avec le Lago Bianco.

At the top of the Bernina Pass, looking south, with a view of the Lago Bianco.

223 Kurz vor der Berninapasshöhe.

Juste avant le sommet du col de la Bernina.

A short way below the top of the Bernina Pass.

224 Der Zug fährt dem Lago Bianco entlang nach Bernina Hospiz.

Le train roule le long du Lago Bianco vers Bernina Hospiz.

The train follows the bank of the Lago Bianco towards Bernina Hospiz.

225 Bernina Hospiz, Blick Richtung Norden mit Piz Lagalb. Dies ist mit 2257 m nicht nur die höchstgelegene Station der RhB, sondern aller Adhäsionsbahnen Europas.

Hospizio Bernina, vue en direction nord avec le Piz Lagalb. Avec ses 2257 mètres d'altitude, c'est la station la plus élevée, non seulement du RhB mais aussi de tous les chemins de fer européens à adhérence totale.

View of the Bernina Hospiz with the Piz Lagalb in the north. At 2257 m, this is the highest station, not only of the RhB, but of all adhesion railways in Europe.

225

226 Der Bernina-Express auf dem Berninapass (2253 m ü.M.) mit dem Lago Bianco und dem Cambrena-Gletscher.

Le «Bernina Express» sur le col de la Bernina (2253 m) avec le Lago Bianco et le glacier de Cambrena.

The Bernina Express on the Bernina Pass (2253 metres above sea level) with the Lago Bianco and the Cambrena glacier.

226

227 Gleiche Gegend mit Blick Richtung Süden. Der Zug befördert Erdölprodukte von Tirano ins Engadin.

Même région avec vue vers le sud. Le train transporte des produits pétroliers de Tirano vers l'Engadine.

View taken from the same point looking south. The train carries petroleum products from Tirano to the Engadine.

227

228

228 Die Aussichtsterrasse von Alp Grüm (2091 m ü.M.) mit Blick auf den Palü-Gletscher.

La terrasse panoramique d'Alp Grüm (2091 m) avec une vue sur le glacier de Palü.

The panoramic terrace at Alp Grüm (2091 m) with a view of the Palü glacier.

229

229 Unterhalb Alp Grüm mit Blick auf den Palügletscher.

En-dessous d'Alp Grüm. Vue sur le glacier de Palü.

Below Alp Grüm, with a view of the Palü glacier.

230

230 Die Station Alp Grüm thront auf einer wundervollen Aussichtsterrasse hoch über dem Puschlav. Zuhinterst die Bergamasker Alpen.

La station d'Alp Grüm sur une magnifique terrasse panoramique surplombant la vallée de Poschiavo. A l'arrière-plan, vue sur les Alpes bergamasques.

The station of Alp Grüm looks down from a beautiful plateau high above the Puschlav valley. On the horizon, the peaks of the Bergamasque Alps.

231 Der Abstieg nach Poschiavo geht über vier Schleifen, viele Brücken und durch drei Kehrtunnels vor sich.

La descente vers Poschiavo comprend quatre courbes en spirale en plus des nombreux viaducs et des trois tunnels hélicoïdaux.

The descent to Poschiavo includes four loops, numerous bridges and three spiral tunnels.

232

233

234

232 Ein Emmentaler Bauernhaus in Cavaglia? Hier befand sich einst eine Sust für den Pferdewechsel, woran auch der Name erinnert.

Il ne s'agit pas d'une ferme de l'Emmental déplacée à Cavaglia, mais plutôt du relais où jadis on changeait de cheval, ce qui explique aussi le nom de l'endroit.

Cavaglia: a farmhouse in the Emmental style? This used to be a kind of inn, where post coaches changed horses, as the name of the place suggests.

233 Die letzte Schleife vor Poschiavo überquert den Cavagliasca-Bach.

A la dernière courbe en spirale avant Poschiavo, la voie ferrée franchit le ruisseau Cavagliasca.

The last loop before Poschiavo crosses the Cavagliasca river.

234 Aber auch Lawinengalerien sind zu passieren.

On doit aussi passer des galeries pare-avalanches.

The route also leads through avalanche galleries.

235

236

235 Poschiavo, Hauptort des Puschlav. Die offene «carrozza panoramica» gibt den Blick frei auf die protestantische Kirche von 1649 und die Kirche San Vittore (1503) mit dem romanischen Campanile.

Poschiavo, chef-lieu du Val Poschiavo. Le «wagon panoramique» ouvre la vue sur l'église protestante datant de 1649 et sur l'église St-Victor (1503) avec son campanile roman.

Poschiavo, the most important village in the Puschlav valley. The open passenger car offers a panoramic view. The Protestant church, built in 1649, and the San Vittore Church (1503) with the Romanesque Campanile (bell tower).

236 Bahnhof und Depot von Poschiavo, nach Süden.

Gare et dépôt de Poschiavo vers le sud.

The station and shed of Poschiavo, looking south.

237 In Le Prese, am obern Ende des Lago di Poschiavo, wird die Alpenlinie zu einer Art überdimensionierter Strassenbahn.

A Le Prese, à l'extrémité supérieure du lac de Poschiavo, la ligne à travers les Alpes ressemble à une ligne de tramway aux dimensions irréelles.

In Le Prese, at the upper end of the Lake of Poschiavo, the railway through the Alps turns into a sort of oversized tramway.

238

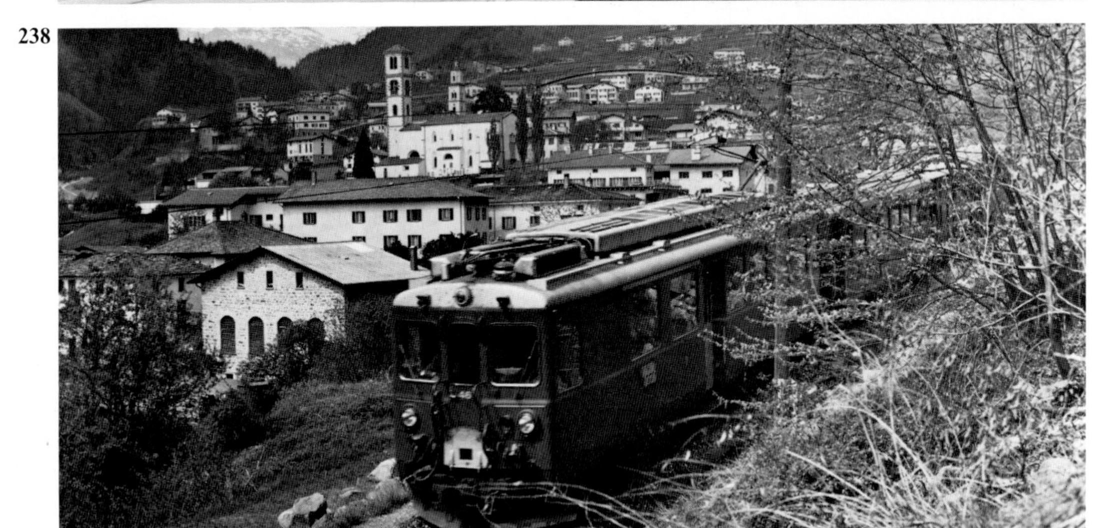

238 Unterhalb von Brusio.

En-dessous de Brusio.

Below Brusio.

239

239 Ein Schnappschuss: der obere Zug bewegt sich talwärts, der untere wartet auf der Station Brusio die Kreuzung ab.

Un instantané: le train du haut descend vers la vallée, celui du bas attend le croisement à la station de Brusio.

A snapshot: The upper train descends towards the station of Brusio, where the other train awaits its turn to use the single track.

240

240 S. Carlo, das von der Bahn umfahren wird, in der Nähe von Poschiavo. Dieser Ort hat dem Tal seinen Namen gegeben.

La Ligne de la Bernina ne dessert pas S. Carlo près de Poschiavo. Ce dernier village a donné son nom à la vallée.

The railway does not serve S. Carlo, near Poschiavo, which has given the valley its name.

241

241 Etwas südlich von Brusio: der bekannte Kehrviadukt, der...

Un peu au sud de Brusio, le viaduc hélicoïdal bien connu . . .

South of Brusio, the well-known spiral viaduct . . .

242 . . . auch hier den Ausblick auf drei Bahnsektionen erlaubt. Der Zug hat zuvor den Viadukt von links her überquert und wird nach einer Schleife auf dem vordersten Gleis von rechts her durchfahren.

. . . à partir duquel on voit trois niveaux de la même voie ferrée. Le train a d'abord franchi le viaduc, venant de la gauche. Puis, après avoir effectué une courbe en spirale, il réapparaîtra, venant de la droite, sur la voie au premier plan.

. . . affords a view of three track sections. The train has crossed the viaduct from the left and, after passing a loop, will reappear on the nearest track from the right.

242

243

243 Hinter dem Maisfeld der eben erwähnte Viadukt.

Derrière le champ de maïs, le viaduc déjà mentionné.

The above-mentioned spiral viaduct behind the field of maize.

244 Kastanienbäume im Kehrviadukt von Brusio.

Le viaduc hélicoïdal de Brusio au milieu des châtaigniers.

Chestnut trees in the loop of the viaduct near Brusio.

245 Das Tram von Tirano (Italien) mit der Wallfahrtskirche Madonna di Tirano.

Le tramway de Tirano (Italie) avec l'église de pèlerinage de Madonna di Tirano.

The tramway of Tirano (Italy) with the church of the Madonna di Tirano, which is often visited by pilgrims.

244

245

246 

246 Nach dem Grenzbahnhof Campocologno wird die Druckleitung der Kraftwerke Brusio gekreuzt, in welcher Wasser aus dem Lago Bianco herabströmt. Der produzierte Strom geht zum grössten Teil in die Industrie Oberitaliens.

Après la gare frontière de Campocologno, le chemin de fer croise la conduite forcée de la centrale hydro-électrique de Brusio, dans laquelle se déverse les eaux du Lago Bianco. Une grande partie du courant produit sert à l'industrie de l'Italie du nord.

After the frontier station of Campocologno the railway crosses the pressure pipe line of the power station of Brusio, carrying water from the Lago Bianco. Most of the power generated here supplies industry in northern Italy.

247 

247 Campocologno, letzter Schweizer Bahnhof auf dem Weg nach Süden. Ein Teil der Ausfuhrgüter wird schon hier von italienischen Lastwagen abgeholt.

Campocologno, dernière gare suisse sur la route du sud. Des camions italiens viennent chercher une partie des exportations déjà dédouannées ici.

Campocologno, the last station in Switzerland on the way to the south. Part of the export goods are already transshipped onto Italian lorries at the point.

248 

248 Der Endbahnhof Tirano ist zugleich Ausgangspunkt der italienischen FS-Strecke nach Sondrio–Milano. Hier findet ein reger Güterumschlag von der Berninalinie auf die FS und die Strasse statt.

Tirano est à la fois gare terminus RhB et gare de départ du réseau italien des FS vers Sondrio–Milan. Ici, il y a un transbordement constant de marchandises venant de la ligne de la Bernina destinées soit aux FS, soit au transport routier.

The terminus at Tirano is at the same time the point of departure of the FS line to Sandrio and Milan. A lot of goods arriving on the Bernina line have to be transshipped to the FS (Italian State Railways) or to lorries.

Bever–Scuol/Schuls-Tarasp

249

249 La Punt, Ausgangspunkt der Albulastrasse. Dahinter der Piz Mezzaun.

La Punt: point de départ de la route de l'Albula. Derrière, le Piz Mezzaun.

La Punt, from where the road ascends towards the Albula Pass. In the background, the Piz Mezzaun.

250

250 Der Val Mela-Viadukt bei Brail.

Viaduc du Val Mela, près de Brail.

The Val Mela Viaduct near Brail.

251 Die Innbrücke bei Cinuos-chel, dem letzten Dorf des Oberengadins.

Pont sur l'Inn, près de Cinuos-chel, le dernier village de la haute Engadine.

Bridge spanning the Inn near Cinuos-chel, the last village before leaving the Oberengadine.

▷ **252** In grosser Schleife umfährt die Bahn den weiten Talkessel von Zernez. Der Zug wird während 12 Minuten die menschenleere Innschlucht durchfahren, die Grenze zwischen Unter- und Oberengadin queren und über die grosse Innbrücke Cinuos-chel erreichen.

La voie ferrée détourne le large bassin de la vallée de Zernez en décrivant une grande courbe. Durant 12 minutes, le train roulera à travers les gorges désertes de l'Innschlucht, passera la ligne de démarcation entre la basse et la haute Engadine et atteindra Cinuos-chel en franchissant le grand viaduc de l'Inn.

The track follows the contours of the valley basin of Zernez in a wide semi-circle. For the next twelve minutes the train will run through the deserted ravine of the Inn, cross the border between the Unterengadine and the Oberengadine and reach Cinuos-chel across the wide Inn bridge.

252

253

254

253 Nach der Ausfahrt in Zernez wechselt die Bahn auf die linke Innseite. Die schöne Bergpyramide ist der Piz Linard (3411 m).

En sortant de Zernez, la voie ferrée passe du côté gauche de l'Inn. Cette belle pyramide montagneuse est le Piz Linard (3411 m).

After pulling out of Zernez, the track crosses to the left bank of the Inn. The beautiful, pyramid-like mountain is the Piz Linard (3411 m).

254 Susch am Anfang der Flüelapass-Strasse nach Davos.

Le village de Susch, au début de la route du col de la Flüela en direction de Davos.

The village of Susch. From here the road leads over the Flüela Pass to Davos.

255

255 Der «Glacier Express» zwischen Bever und Samedan. Hinter der Lok Ge 6/6 II Nr. 703 mit dem Namen «St. Moritz» befindet sich ein Erstklasswagen der Furka – Oberalp-Bahn, dann folgen ein Zweitklasswagen der RhB, ein Zweitklasswagen der Brig – Visp – Zermatt-Bahn und ein roter Erstklasswagen der RhB.

Le «Glacier Express» entre Bever et Samedan. Derrière la locomotive Ge 6/6 II no. 703 portant le nom de «Saint-Moritz» se trouve un wagon de première classe de la ligne Furka – Oberalp; viennent ensuite un wagon de seconde du RhB, un autre de la ligne Brigue – Visp – Zermatt et enfin une voiture rouge de première classe du RhB.

The "Glacier Express" between Bever and Samedan. Behind the Ge 6/6 II locomotive No. 703, which bears the name «St. Moritz», there is a first class coach of the Furka – Oberalp Railway, followed by a second class RhB coach, another second class belonging to the Brig – Visp – Zermatt Railway and a red first class RhB coach.

256

256 Ardez mit Burg Steinsberg, die 1499 im Schwabenkrieg zerstört wurde.

Ardez avec le château Steinsberg, détruit en 1499, lors des guerres de Souabe.

Ardez with the ruins of Steinsberg Castle, which was destroyed in 1499 during the war against the Swabian League.

257

257 Schloss Tarasp, erbaut im 11. Jahrhundert, restauriert im Jahr 1910. Es gilt als schönstes Bündner Schloss und steht zur Besichtigung offen.

La Château de Tarasp, construit au XIe siècle, restauré en 1910, passe pour le plus beau château des Grisons et est ouvert au public.

Tarasp Castle, built in the 11th century and restored in 1910. It is considered to be the finest castle in the Grisons and is open to the public.

258 Links oben das Dorf Ftan, das mit einer PTT-Linie an die RhB-Station Anschluss hat.

A gauche, en haut, le village de Ftan. Un autobus des PTT circule entre ce village et la station RhB.

On the left, the village of Ftan, which is connected to the RhB station by means of a PTT coach service.

259

260

261

259 „Hippsche Wendescheibe" als Einfahrsignal in Schuls/Scuol.

Disque tournant du signal «Hipp» à l'entrée à Schuls/Scuol.

The disk signal at the entrance to Schuls/Scuol station.

260 Kurz vor dem Bahnhof Schuls unterhält die RhB eine Wetterstation.

Juste avant la gare de Schuls, le RhB entretient une station météorologique.

Not far from the station of Schuls, the RhB owns a meteorological station.

261 Der stattliche Endbahnhof Schuls-Tarasp liegt über den beiden bedienten Dörfern und wurde so angelegt, dass die Linie ohne weiteres talabwärts nach Landeck hätte verlängert werden können.

L'imposante gare terminus Schuls-Tarasp est située au-dessus des deux villages qu'elle dessert. Son emplacement avait été spécialement choisi pour permettre un prolongement sans problème de la ligne jusqu'à Landeck, au bas de la vallée.

The terminus of Schuls-Tarasp is situated above the two villages. It was conceived in such a way, that the line could have easily been extended down the valley to Landeck.

262

263

Reichenau–Disentis

262 Vorortzug im Versamer Tobel, Rest eines gewaltigen Bergsturzes aus dem Segnesgebiet nach dem Rückzug des Rheingletschers.

Train de banlieue dans les gorges de Versam, vestiges d'un immense glissement de terrain de la région du Piz Segnes, consécutif au recul du glacier du Rhin.

A motorcoach train in the ravine of Versam. This area was formed by a violent landslide from the Piz Segnes after the recession of the Rhine glacier.

264

265

263 Am Vorderrhein bei Trin.

Sur le bord du Rhin antérieur, près de Trin.

On the bank of the Vorderrhein near Trin.

264 Zwischen Trin und Versam.

Entre Trin et Versam.

Between Trin and Versam.

265 Ohne diese Jugendlichen und die Zugpassagiere wäre diese Gegend zwischen Reichenau und Versam menschenleer.

La région entre Reichenau et Versam serait complètement déserte sans la présence de ces jeunes gens et des voyageurs du train.

Without these youths and the passengers, this area between Reichenau and Versam would be completely deserted.

266 Die Station tief in der Versamer Schlucht bedient das hoch gelegene Dorf und das ganze Safiental.

La station du fond des gorges de Versam dessert le village juché sur la montagne et toute la vallée de Safien.

The station of Versam deep in the ravine is used by the inhabitants of the village high above the railway and of the Safien valley.

266

267

268

269

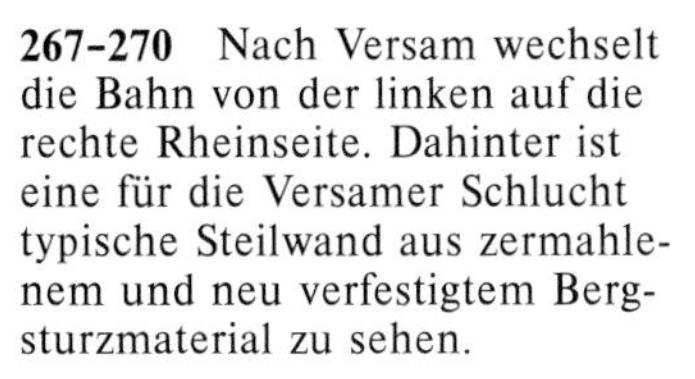

270

271

267–270 Nach Versam wechselt die Bahn von der linken auf die rechte Rheinseite. Dahinter ist eine für die Versamer Schlucht typische Steilwand aus zermahlenem und neu verfestigtem Bergsturzmaterial zu sehen.

Après Versam, la voie ferrée passe du côté droit du Rhin. Derrière, une falaise typique des gorges de Versam constituée de matériaux éboulés qui se sont à nouveau consolidés.

After Versam, the track changes from the left to the right bank of the Rhine. Crushed material from landslides was later hardened to form the precipices so typical of this ravine, one of which is seen on photo No. 267.

271 Die neue Carrerabach-Brücke zwischen Versam und Valendas.

Le nouveau pont du ruisseau Carrera, entre Versam et Valendas.

The new Carrerabach bridge between Versam and Valendas.

272

272 Auch zwischen Versam und Valendas zwängt sich der Vorderrhein zwischen turmhohen Kalkwänden hindurch, die aus dem eiszeitlichen Bergsturz von Segnes stammen.

Entre Versam et Valendas, le Rhin antérieur se fraye également un chemin à travers les gigantesques falaises calcaires provenant du glissement de terrain du Piz Segnes, à l'époque glaciaire.

Here again, between Versam and Valendas, the Vorderrhein has to force its way through towering limestone walls, remnants of the Segnes landslide which took place during the Ice Age.

273 In der Vorderrheinschlucht bei Valendas.

Dans les gorges du Rhin antérieur près de Valendas.

In the ravine formed by the Vorderrhein near Valendas.

273

274

274 Ein weiteres Stimmungsbild aus dem winterlichen Versamer Tobel.

Scène d'hiver dans les gorges de Versam.

Another impression of the ravine of Versam in winter.

275

275 Ähnlich wie Versam liegt die Station Valendas im Grund der Rheinschlucht, abseits vom Ort Valendas, und noch weiter entfernt von Sagogn am linken Ufer.

La station de Valendas est située comme celle de Versam au fond des gorges du Rhin. Le village de Valendas et celui de Sagogn, sur l'autre rive, en sont très éloignés.

Not unlike Versam, the station of Valendas also lies at the bottom of the ravine of the Rhine, quite a distance from the village of Valendas, and even farther away from the village of Sagogn on the left bank.

276 Die Lokomotive sagt es: Ilanz, die erste Stadt am Rhein.

La locomotive est nommée «Ilanz» comme la première ville sur les bords du Rhin.

The locomotive gives the game away: we are at Ilanz, the first town on the Rhine.

276

277 Von 1903 bis 1912 war dieser kleine Bahnhof im Schatten eines erdrückenden Betonbaus die Endstation der Oberländer Linie.

De 1903 à 1912, cette petite gare à l'ombre de la lourde construction de béton, était la gare terminus de la ligne de l'Oberland.

Between 1903 and 1912, this tiny station almost eclipsed by the huge concrete building, was the terminus of the Oberland line.

277

278 Die PTT sorgt für die Fortsetzung der Reise ins Val Lumnezia (Lugnez) nach Vrin und ins Valsertal nach Vals (Denken Sie nur ans Valser Wasser!). Postautoverbindungen bestehen auch nach Obersaxen, Ladir und Flims.

Le transport des PTT se charge du prolongement du voyage dans la Val Lumnezia jusqu'à Vrin et dans la vallée de Vals jusqu'au village du même nom. La liaison est aussi établie vers Obersaxen, Ladir et Flims.

The PTT, which runs an extensive coach service throughout Switzerland, offers passengers a connection to Vrin in the Lumnezia valley, to Vals in the valley of the same name as well as to Obersaxen, Ladir and Flims.

278

279

280

279 Über der CC-Lok die katholische Pfarrkirche.

Derrière la locomotive CC, l'église paroissiale catholique.

Behind the CC locomotive, the Catholic parish church.

280 Die Casa Grande (Grosses Haus) von 1677 und die evangelische Pfarrkirche St. Margrethen von 1500 in spätgotischer Manier. Der freistehende Glokkenturm war im Mittelalter wahrscheinlich bewohnt.

La Casa Grande (grande maison) datant de 1677 et l'église paroissiale évangéliste St-Margrethen, de style gothique tardif, construite en 1500. Le clocher séparé de l'église était probablement une tour habitée au moyen âge.

The "Casa Grande" (Big House), built in 1677, and St. Margaret's, the Evangelical parish church, built in 1500, in the late Gothic style. The separate bell tower was probably inhabited during the Middle Ages.

281 Zwischen Ilanz und Waltensburg wird der Rhein zweimal überquert.

Entre Ilanz et Waltensburg, le Rhin est franchi deux fois.

The RhB line crosses the Rhine twice between Ilanz and Waltensburg.

282 Am Horizont links die Gegend des Oberalppasses mit den Brigelshörnern.

A l'horizon, vers la gauche, la région du col de l'Oberalp avec les monts Brigelshörner.

On the left of the horizon, the region of the Oberalp Pass with the Brigelshörner.

283 Die G 4/5 Nr. 107 in Trun keucht Disentis entgegen; rechts die Pfarrkirche von St. Martin aus dem Jahr 1660.

La locomotive G 4/5 no. 107 halète en direction de Disentis. A droite, l'église paroissiale de St-Martin datant de 1660.

The G 4/5 No. 107 puffs along on its weary way towards Disentis. On the right, the parish church of St Martin, dating back to 1660.

281

282

283

284

285

284 Das Russeiner Tobel zwischen Somvix und Disentis wird von einer gedeckten Holzbrücke, einer modernen Beton-Strassenbrücke und vom Bahnviadukt aus Naturstein überquert.

Les gorges de Russein, entre Somvix et Disentis, sont traversées à la fois par un pont de bois couvert, un pont routier moderne en béton et un viaduc ferroviaire en pierre naturelle.

A covered wooden bridge, a modern concrete roadbridge and a stone viaduct span the ravine of Russein between Somvix and Disentis.

285 Landwirtschaftliche Gebäude bei Somvix.

Petites fermes près de Somvix.

Small farm buildings near Somvix.

286 Der «Glacier-Express» quert das Val Lumpegna unterhalb Disentis. Er besteht aus Wagen der Brig–Visp–Zermatt-Bahn, der Furka–Oberalp-Bahn und der Rhätischen Bahn. Vor der Eröffnung des Furka-Basistunnels brauchte er für die 290 km lange Strecke St. Moritz–Chur–Zermatt 8½ Stunden.

Le «Glacier Express» traverse la Val Lumpegna en-dessous de Disentis. Il est composé de wagons des chemins de fer Brigue–Visp–Zermatt, Furka–Oberalp et du RhB. Avant l'ouverture du tunnel de base de la Furka, il avait besoin de huit heures et demie pour le parcours de 290 kilomètres entre Saint-Moritz, Coire et Zermatt.

The "Glacier Express" crossing the Val Lumpegna below Disentis. It is made up of cars from the Brig–Visp–Zermatt Railway, the Furka–Oberalp Railway and the RhB. Before the base tunnel through the Furka was opened, the 290 km journey St Moritz via Chur to Zermatt took 8½ hours. 286

287

288

287 Frohe Fracht auf dem Lehnenviadukt von Lumpegna.

Transport joyeux sur le viaduc contrebuté de Lumpegna.

Happy passengers enjoying the ride across the buttressed viaduct of Lumpegna.

288 Der stattliche «Glacier-Express» auf dem Lumpegna-Viadukt; Blick gegen Disentis.

Le long train du «Glacier Express» sur le viaduc de Lumpegna, avec vue vers Disentis.

The long "Glacier Express" on the Lumpegna viaduct. View towards Disentis.

289 Zwei Freunde der G 4/5-Lokomotive in Disentis.

Deux admirateurs de la locomotive G 4/5 à Disentis.

Two admirers of a G 4/5 locomotive in Disentis.

289

07

290

291

292

293

290–292 Im Bahnhof Disentis endet die RhB-Linie und beginnt die Furka–Oberalp-Bahn mit gleicher Spurweite, Stromart und gleichen Rollmaterialnormen. Einzig die Zahnstangenstrecken unterscheiden die FO von der RhB. Die auf den Bildern sichtbaren Fahrzeuge gehören alle der FO.

La gare de Disentis est le terminus de la ligne RhB et le début du Chemin de fer Furka–Oberalp avec même écartement, courant identique et matériel roulant standard. La seule différence entre les deux lignes réside dans les tronçons à crémaillère de la ligne Furka–Oberalp. Tous les véhicules apparaissant sur les photos appartiennent au FO.

The station of Disentis is the end of the RhB line and the beginning of the Furka–Oberalp Railway, which has the same gauge, runs on the same power and carries rolling stock with the same standard gear. Rack-and-pinion sections alone distinguish the FO from the RhB. All the rolling stock shown on the pictures belong to the FO.

293 Ein offensichtlich langer RhB-Zug verlässt Disentis. Der Ort wird beherrscht vom Benediktinerkloster, das im Jahr 750 von irischen Glaubensboten gegründet wurde.

Un train RhB qui est vraisemblablement très long quitte Disentis. Le cloître bénédictin domine l'endroit; il fut fondé en l'an 750 par des croyants irlandais.

An obviously long RhB train leaves Disentis. The village is dominated by the Benedictine monastery, which was founded in 750 by Irish missionaries.

Chur–Arosa-Bahn ChA
Chemin de fer Coire–Arosa ChA
Chur–Arosa Railway ChA

1914	Eröffnet / Ouverture / Opened
26 km	Länge / Longueur / Length
60 ‰	Maximale Neigung / Déclivité maximale / Maximum gradient (1 in 17)
1742 m	Höchster Punkt / Point culminant / Highest point
2400 V	Gleichstrom / Courant continu / Direct current
1942	Mit RhB fusioniert / Fusion avec le RhB / Amalgamated with RhB

Die Chur–Arosa-Bahn ist als letztes Glied des bündnerischen Schmalspursystems gebaut worden. Sie ist also die neueste Strecke der Rhätischen Bahn, was unter anderem an der modernen Eisenbetonbauart ihrer grossen Brücken und an der Verwendung von Gleichstrom mit verhältnismässig hoher Spannung zu erkennen ist.

Verschiedene Projekte gingen der heutigen Ausführung voraus, darunter solche, die den ersten Anstieg von Chur ins Plessurtal mit Zahnstangenabschnitten oder Kehrtunneln überwinden wollten. Statt dessen beginnt die Reise heute in einer Strassenbahn, die sich durch die ganze obere Stadt hinzieht. In Chur bestand seit jeher eine Gleisverbindung mit dem Stammnetz der RhB, so dass Personen- und Güterwagen ausgetauscht werden können.

Die Fusionierung mit der RhB bildete den Auftakt zur Modernisierung der Chur–Arosa-Bahn. Moderne, ferngesteuerte Stellwerke und der Einsatz neuzeitlicher Pendelzüge prägen das Bild der Aroser Linie, die namentlich im Winter einen umfangreichen Wochenendverkehr mit hohen Leistungsspitzen erfolgreich bewältigt.

La ligne Coire–Arosa constituant le dernier maillon du système de voie étroite des Grisons, est ainsi la section la plus récente. Ceci est mis en évidence, entre autres, par la construction moderne de ses grands viaducs, en béton précontraint, et par l'emploi du courant continu d'une tension relativement haute.

Divers projets précédèrent la réalisation d'aujourd'hui. Il fut question de vaincre la montée de Coire vers la vallée de la Plessur à l'aide de tronçons à crémaillère ou de tunnels hélicoïdaux. Au lieu de cela, le chemin de fer suit aujourd'hui les rues de la haute ville. A Coire, il existe depuis toujours un raccordement de voie avec le réseau principal du RhB, de sorte que les wagons de voyageurs et de marchandises peuvent être échangés.

La fusion du RhB déclencha la modernisation de la ligne vers Arosa. Des postes d'aiguillage modernes, télécommandés, ainsi que de nouveaux trains navettes caractérisent désormais la ligne d'Arosa qui, notamment en hiver, vient à bout avec succès de l'intense trafic du week-end.

The Chur–Arosa Railway was the last section of the narrow gauge network of the Grisons. This makes it also the latest line of the Rhaetian Railway as it exists today. The modern construction of the long ferro-concrete viaducts and the use of a relatively high voltage direct current prove this point.

Before construction began, there had been various other projects. One of them, for example, intended to negotiate the first ascent from Chur to the valley of the Plessur by means of rack-rail sections or spiral tunnels. Instead, the route now follows the streets of the upper part of the town. The Chur–Arosa Railway has always been linked to the main network of the RhB at Chur, which enables the exchange of passenger cars and goods wagons.

The amalgamation with the RhB was the beginning of the modernization of the Chur–Arosa Railway. Up-to-date remote control signal boxes and modern push-pull trains characterize the Chur–Arosa line, which especially in winter successfully copes with an extraordinarily heavy week-end traffic.

294

294 Die Aroser Linie beginnt an einem ungedeckten Inselperron auf dem Bahnhofplatz in Chur. Schon in der verkehrsschwächeren Sommersaison kann der Andrang recht lebhaft sein.

La ligne d'Arosa prend son départ sur une plate-forme à découvert située sur la place de la gare de Coire. Il peut déjà y avoir affluence pendant la saison estivale, même si le trafic est moins dense qu'en hiver.

The Arosa line begins on an open traffic island on Station Square in Chur. Even during the rather slack summer season, the station can be quite busy.

295

295 Die Reise nach Arosa beginnt mit einer Fahrt durch die Strassen von Chur, vorbei am Obertor, Überrest der einstigen mittelalterlichen Stadtbefestigung.

Le parcours vers Arosa commence à travers les rues de Coire, en passant devant l'Obertor (ancienne porte d'entrée), vestige des murs de la ville au moyen âge.

The journey to Arosa first leads through the streets of Chur, past the Obertor (a former gateway to the city), which is a remnant of the medieval city walls.

296

296 Als Strassenbahn entlang der Plessur stadtauswärts.

Comme un tramway, la voie ferrée longe la rivière Plessur vers l'extérieur de la ville.

Like a tramway, the train leaves the city alongside the Plessur river.

297

297 Das Plessurquai mit dem bischöflichen Hof im Hintergrund. Links der alte Marsölturm, in der Mitte die Kathedrale, rechts die St. Luzi-Kirche.

Les rives de la rivière Plessur avec le palais épiscopal à l'arrière-plan. A gauche, la vieille tour Marsöl; au milieu, la cathédrale; à droite, l'église St-Luzi.

The bank of the Plessur river. In the background, the Episcopal See; on the left, the old Marsöl Tower; in the centre, the Cathedral; on the right, the St Luzi Church.

298

299

298–299 Im Sassal, wo sich eine Mineralquelle befindet, beginnt die eigentliche Bergfahrt.

Au Sassal, où se trouve une source minérale, commence le véritable parcours de montagne.

Sassal, source of a mineral spring, is where the ascent really begins.

300

301

302

303

300–301 Schwierige Partie im brüchigen Bündner Schiefer.

Tracé difficile à travers les ardoises fragiles des Grisons.

A difficult passage through the brittle slate of the Grisons.

302–303 Die topographischen Schwierigkeiten werden mit gemauerten Viadukten und Eisenbrücken überwunden. Letztere kommen vor allem an Orten in Frage, wo der Bergdruck die Steinbrücken zerstören würde; eine Eisenbrücke hingegen kann im Notfall wieder repariert werden.

Les ingénieurs sont venus à bout des difficultés topographiques au moyen de viaducs en maçonnerie et de ponts métalliques. Ces derniers entrent surtout en ligne de compte dans les endroits où la pression de la montagne risque de détruire les ponts de pierre. Les ponts métalliques ont l'avantage de pouvoir être réparés facilement.

The topographical problems are solved by brick viaducts and iron bridges. The latter are especially convenient where pressure from the mountains would destroy stone bridges; iron bridges, however, can easily be repaired.

304 Das hübsche Stations-Chalet von Lüen, weit unterhalb des Dorfes.

Le joli chalet de la station de Lüen, située bien en-dessous du village.

This beautiful chalet, which is also the railway station, is situated far below the village of Lüen.

304

487

306

305 Wie beim Landwasserviadukt bei Filisur und anderswo, folgen sich hier im Castielertobel unterhalb von Lüen Brücken und Tunnels in ununterbrochener Folge. Die Betonfundamente zweier Gewölbe stehen übrigens in einem Kriechhang, der sich im Jahr um etwa 10 mm abwärts bewegt. Die immer wieder verstärkten Gewölbe standen schliesslich unter solchem Druck, dass im Jahr 1943 eine neue Brücke aus Stahlfachwerk in Fischbauchform gelegt werden musste. Die Struktur wandert nun zwar samt den Pfeilern weiter, kann aber alle paar Jahrzehnte wieder in ihre ursprüngliche Lage zurückgebracht werden.

Ici, dans les gorges de Castiel, en-dessous de Lüen, les viaducs et les tunnels se suivent de près, comme c'est le cas pour le viaduc de la Landwasser ou d'autres endroits. Les fondations de deux voûtes sont disposées sur un terrain en pente qui s'affaisse latéralement de 10 mm par année. Les voûtes, sans cesse renforcées, supportaient finalement une pression tellement grande qu'on fut obligé de construire en 1943 un nouveau pont métallique à poutres en ventre de poisson. Les poutres continuent à s'affaisser latéralement mais on les redresse dans leurs positions originales tous les dix ou vingt ans.

As in the case of the Landwasser viaduct near Filisur and in other places, here in the Castiel ravine below Lüen we are confronted with a continuous sequence of bridges and tunnels. It may interest the reader to hear that the foundations of two of the arches are embedded in a slope which slides approximately 10 mm per year. Despite regular reinforcing work carried out on the arches the pressure built up to such an extent that finally, in 1943, a new fishbellied bridge of steel had to be constructed. Although the pillars of the bridge still slide they can easily be put back into their original position every few decades.

306 Die Grosstobelbrücke im schwierigen Rutschgebiet zwischen Lüen und St. Peter.

Le viaduc des gorges de Grosstobel est situé dans une région difficile, sujette aux glissements de terrain, entre Lüen et St-Peter.

The Grosstobel bridge in a difficult, landslide-prone region between Lüen and St Peter.

307 Nach der düsteren Plessurschlucht quert die Bahn den Sonnenhang von Peist.

Après avoir franchi les gorges sombres de la Plessur, la voie ferrée traverse le versant ensoleillé de Peist.

After the dark ravine of the Plessur river, the train crosses the sunlit slope near Peist.

307

308

308 Molinis mit der zerklüfteten Rungsrüfi.

Le village de Molinis avec le ravin crevassé de Rungsrüfi.

The village of Molinis with the rugged ravine of Rungsrüfi.

309 Peist.

Le village de Peist.

The village of Peist.

309

310 Der neueste Viadukt der RhB - ehemals der Chur–Arosa-Bahn - stammt von 1914 und zeigt bereits die aufgelöste Eisenbetonkonstruktion. Er ist 287 m lang und überquert die Plessur bei Langwies 62 m über dem Wasserspiegel. Allein der Hauptbogen hat eine Spannweite von 100 m.

Le plus récent viaduc du RhB - à l'époque, Chemin de fer Coire–Arosa - date de 1914 et montre déjà une construction légère en béton armé. D'une longueur de 287 mètres, il surplombe la vallée de la Plessur à Langwies, à 62 mètres au-dessus du niveau moyen de l'eau. La voûte principale a déjà une largeur appréciable de 100 mètres.

The latest viaduct of the RhB - formerly of the Chur–Arosa Railway - was constructed in 1914, already in the open-worked ferro-concrete style. It is 287 m long and crosses the Plessur river near Langwies at a height of 62 m above water level. The main arch alone has a span of 100 m.

310

311 Der «durchsichtige» Gründjetobel-Viadukt unterhalb Langwies kündet den noch mächtigeren Plessur-Viadukt in gleicher Eisenbetonbauart an.

Le viaduc «andacieux» des gorges de Gründjetobel, en-dessous de Langwies, annonce celui de la vallée de la Plessur qui est encore plus majestueux, tout en ayant le même genre de construction en béton armé.

The open-worked viaduct across the Gründjetobel ravine below Langwies gives a hint of the even more impressive Plessur viaduct, both of the same ferro-concrete construction.

312

312 Erdpyramiden in der Nähe von Langwies. Im Rutschgebiet schützen da und dort schwere Steinplatten den Untergrund vor Erosion, so dass sich solche Erdtürme bilden können.

Pyramides de terre près de Langwies. Dans une région sujette aux glissements de terrain, de lourdes plaques rocheuses protègent ici et là le sous-sol de l'érosion, donnant lieu à la formation de tels cônes de terre.

Rock pyramids near Langwies. Single plates of harder rock have protected certain parts of the sub-soil in the landslide area from erosion, as a result of which such pyramids have formed.

313

313 Der bergwärts rollende Zug im Hintergrund fährt bald in Langwies ein und wird alsdann den Langwieser Viadukt in offener Linienführung von rechts her überqueren. Die Plessur und der Sapünerbach vereinigen sich im Waldesdickicht unter dem Viadukt.

Le train roulant vers l'amont, à l'arrière-plan, arrivera bientôt à Langwies et franchira ensuite le viaduc du même nom sur le tracé à ciel ouvert, en provenance de la droite. Les ruisseaux Plessur et Sapün se réunissent dans le fourré de la forêt, en-dessous du viaduc.

The train ascending the mountain in the background will soon arrive in Langwies and will subsequently cross the Langwies viaduct from right to left on an open track. The Plessur river and the Sapün brook merge in the forest under the viaduct.

314

314–315 Der Kurort Arosa (1742 m). Der Bahnhof bietet Aussicht auf Furkahörner, Amselfluh (Mitte) und Schiesshorn.

Village touristique d'Arosa (1742 m). De la gare, le panorama s'ouvre vers les monts Furkahörner, Amselfluh (au milieu) et Schiesshorn.

The resort of Arosa (1742 m). From the station, the traveller has a splendid view of the Furkahörner, the Amselfluh (in the centre) and the Schiesshorn.

315

316 Bald ist Arosa erreicht.

La destination est bientôt atteinte: Arosa.

The train will soon pull into the station of Arosa. **316**

1701

317 Immer noch stellen im Winter die Pferdeschlitten die Verbindung zu den Hotels her. Dahinter der Anschluss zum Weisshorn.

En hiver, les traîneaux tirés par des chevaux assurent encore le transport vers les hôtels. Derrière, le raccordement avec le téléphérique du Weisshorn.

In winter, the horse-drawn sleighs still carry passengers from the station to the hotels. In the background the cable car running up the Weisshorn.

Die Dampflokomotiven der RhB
Les locomotives à vapeur du RhB
Steam locomotives of the RhB

Serie Série Type	Nummern Numéros Numbers	Baujahr Année de construction Year of construction	Leistung PS Puissance CV Power h.p.	V max. km/h V max. km/h Max. speed kph	Bemerkungen Remarques Notes
G 3/4	1- 16	1889-1908	300	45	1)
Mallet	21- 32	1891-1902	500	45	2)
G 4/5	101-129	1904-1915	800	45	3)

Bemerkungen:

1) 1 Lokomotive (Nr. 1) an Touristikbahn Blonay–Chamby, 3 nach Luxemburg, 1 nach Brasilien, 2 an Centovallibahn, 4 an die SBB (für die Brüniglinie), 1 nach Spanien. Die Nrn. 11 und 14 sind noch in Betrieb auf den Berner Oberland Bahnen (BOB) und der Appenzeller Bahn (AB).

2) 2 Lokomotiven nach Brasilien, 5 nach Madagaskar, 2 nach Spanien, 1 an die Yverdon–Ste-Croix-Bahn, 2 an die Kraftwerke Oberhasli.

3) 2 Lokomotiven nach Brasilien, 7 nach Spanien, 18 nach Thailand. Die Nrn. 107 und 108 sind noch in Betrieb.

Remarques:

1) 1 locomotive (no. 1) a été vendue au Chemin de fer touristique Blonay–Chamby, 3 au Luxembourg, 1 au Brésil, 2 au Chemin de fer de la Centovalli, 4 aux CFF (pour la ligne du Brünig), 1 à l'Espagne. Les nos. 11 et 14 sont encore en service sur les chemins de fer de l'Oberland Bernois (BOB) et Appenzellois (AB).

2) 2 locomotives au Brésil, 5 au Madagascar, 2 à l'Espagne, 1 au Chemin de fer Yverdon–Ste Croix, 2 à la centrale de Oberhasli.

3) 2 locomotives au Brésil, 7 à l'Espagne, 18 à la Thaïlande. Les nos. 107 et 108 sont encore en service.

Notes:

1) 1 locomotive (No. 1) was sold to the tourist railway Blonay–Chamby, 3 to Luxemburg, 1 to Brazil, 2 to the Centovalli Railway, 4 to the SBB (for the Brünig line), 1 to Spain. Nos. 11 and 14 are still in service on the Bernese Oberland railway (BOB) and the Appenzeller railway (AB).

2) 2 engines were sold to Brazil, 5 to Madagascar, 2 to Spain, 1 to the Yverdon–Ste Croix Railway, 2 to the power station of Oberhasli.

3) 2 locomotives were sold to Brazil, 7 to Spain, 18 to Thailand. Nos. 107 and 108 are still in service.

Die Dampflokomotiven der RhB

G 3/4, Nrn. 1-16
Die 1889 eröffnete Landquart–Davos-Bahn hatte den Betrieb mit fünf Dreikuppler-Tenderlokomotiven G 3/4, Nrn. 1-5, aufgenommen, die ausser der Nummer noch Namen aus der Geographie Graubündens trugen. Für die 1896 fertiggestellten Linien Landquart–Chur und Chur–Thusis beschaffte die neu gegründete Rhätische Bahn die ganz ähnlichen Lokomotiven Nrn. 6-8, und schliesslich folgten 1901-1908 für die inzwischen eröffneten weiteren Linien die letzten G 3/4, Nrn. 9-16, mit vergrössertem Achsstand und nochmals vergrösserter Gesamtlänge.

Mallet-Lokomotiven, Nrn. 21-32
Die verhältnismässig kleinen Maschinen genügten für den zunehmenden Verkehr der Landquart–Davos-Bahn bald nicht mehr. Deshalb beschaffte die LD 1891 zwei Drehgestell-Loks, Nrn. 6-7 (RhB Nrn. 21-22) vom Typ Mallet mit vier Triebachsen. Die RhB nahm 1896 zwei weitere Maschinen, Nrn. 23-24, der

Les locomotives à vapeur du RhB

G 3/4, nos. 1-16
Le chemin de fer Landquart–Davos, ouvert en 1889, commença son exploitation avec cinq locomotives-tenders à trois essieux couplés G 3/4, nos. 1-5, qui portaient les noms de lieux géographiques des Grisons en plus de leur numéro. La nouvelle compagnie du RhB acheta des locomotives très semblables, nos. 6-8, pour les lignes Landquart–Coire et Coire–Thusis, mises en service en 1896. Enfin, les dernières G 3/4, nos. 9-16, plus longues et à plus grand empattement, suivirent entre 1901 et 1908 pour les autres lignes ouvertes entre-temps.

Locomotives Mallet, nos. 21-32
Les locomotives précédentes relativement petites finirent par ne plus contrôler le trafic toujours croissant de la ligne Landquart–Davos. C'est pourquoi, en 1891, le chemin de fer LD se procura deux locomotives articulées de type Mallet, nos. 6-7 (RhB nos. 21-22), munies de quatre essieux couplés. En 1896, le RhB mit en

Steam locomotives of the RhB

G 3/4, Nos. 1-16
The Landquart–Davos Railway, opened in 1889, started operations with five 0-6-2 G 3/4 tank engines, Nos. 1-5, which, apart from their number, bore geographical names taken from the Grisons. For the Landquart–Chur and the Chur–Thusis lines, both completed in 1896, the newly founded RhB acquired three similar locomotives Nos. 6-8, and between 1901 and 1908 followed the final G 3/4s, Nos. 9-16, with a larger wheel base and a greater overall length.

Mallet Locomotives, Nos. 21-32
These relatively small engines soon proved unable to cope with the increasing traffic of the Landquart–Davos line. Therefore, in 1891, the LD Railway purchased two bogie type Mallet engines Nos. 6-7 (RhB Nos. 21-22) with eight coupled wheels. In 1896, the RhB ordered two further bogie type engines Nos. 23-24; these featured an additional uncoupled axle because of their greater weight. In 1902, eight more Mallet locomotives

Drehgestellbauart in Betrieb, die wegen des grösseren Gewichts mit einer zusätzlichen Laufachse ausgerüstet waren. Für die Albulalinie beschaffte man 1902 nochmals acht Mallet-Lokomotiven, Nrn. 25–32, bei welchen die Laufachse vorn statt hinten angeordnet war.

G 4/5, Nrn. 101–129

Der weiter zunehmende Verkehr auf den Linien nach Davos und St. Moritz sowie die 1912 eröffnete Linie Ilanz–Disentis machten die Beschaffung weiterer Lokomotiven notwendig, die wiederum vier Triebachsen aufweisen und womöglich noch leistungsfähiger sein sollten als die bisherigen Ausführungen. Die etwas komplizierte Drehgestellbauart wurde zugunsten des damals bei den SBB eingeführten Vierkupplertyps mit festem Rahmen und Schlepptender verlassen. 1904 bis 1915 kamen 29 Maschinen des neuen Typs G 4/5 in Betrieb, nämlich die Nrn. 101–106 mit Zweizylinder-Verbundmaschine und die Nrn. 107–129 mit Zweizylinder-Heissdampfmaschine.

Von diesem stattlichen Park sind heute noch zwei G 4/5 (Nrn. 107 und 108) vorhanden; der Rest wurde nach beendeter Elektrifizierung zum grössten Teil ins Ausland verkauft. Die G 3/4 Nr. 1, «Rhätia», aus dem Jahr 1889 steht seit 1972 bei der Touristikbahn Blonay–Chamby, die G 3/4 Nr. 11 auf den Berner Oberland Bahnen (BOB) und die G 3/4 Nr. 14 auf der Appenzeller Bahn (AB) in Betrieb.

service deux autres locomotives articulées du même type, nos. 23–24, qui, à cause de leur poids élevé, furent équipées d'un essieu porteur supplémentaire. Pour la ligne de l'Albula, on commanda de nouveau, en 1902, huit locomotives Mallet, nos. 25–32, avec l'essieu porteur fixé à l'avant cette fois-ci.

G 4/5, nos. 101–129

Le trafic de plus en plus intense sur les lignes vers Davos et Saint Moritz et l'ouverture de la ligne Ilanz–Disentis, en 1912, rendirent nécessaire l'achat de nouvelles locomotives présentant quatre essieux couplés, si possible, un rendement encore meilleur que celui des modèles qui les précédèrent. On abandonna le type de construction à bogies quelque peu compliqué au profit du modèle non-articulé à quatre essieux couplés avec tender séparé, introduit à ce moment-là par les CFF. De 1904 à 1915, 29 locomotives du nouveau type G 4/5 se mirent en service, à savoir les nos. 101–106, locomotives compound à deux cylindres, et les nos. 107–129, locomotives à vapeur surchauffée également à deux cylindres.

Aujourd'hui, il n'existe plus que deux locomotives G 4/5 (nos. 107 et 108) ayant fait partie de ce somptueux parc; le reste fut vendu, pour la plupart, à l'étranger lorsque l'électrification fut terminée. La G 3/4 no. 1, «Rhätia», de l'année 1889, fonctionne sur la ligne touristique Blonay–Chamby depuis 1972, la G 3/4 no. 11 circule sur les chemins de fer de l'Oberland Bernois (BOB) et la G 3/4 14 sur les chemins de fer d'Appenzell (AB).

Nos. 25–32 were introduced, this time with a wheel arrangement of 2-8-0 instead of 0-8-2.

G 4/5, Nos. 101–129

Due to an ever increasing traffic on the lines to Davos and St Moritz and the opening of the Ilanz–Disentis line in 1912, further locomotive power was needed. The new engines were to be 8-coupled, too, and even more efficient than the previously acquired types. The rather complicated bogie locomotive had to give way to the new 8-coupled non-articulated tender engines, which had, at that time, just been introduced by the SBB. Between 1904 and 1915, 29 units of the new G 4/5 type came into operation, Nos. 101–106 being two-cylinder compound engines, Nos. 107–129 two-cylinder superheated engines.

All that remains of this large fleet of steam locomotives are two G 4/5s (Nos. 107 and 108). Most of the rest were sold abroad after electrification had been completed. The G 3/4 No. 1, "Rhätia", has been in service on the tourist railway Blonay–Chamby since 1972.

Franz Marti/Walter Trüb

Bahnen der Alpen

184 Seiten mit 8 farbigen und 281 schwarzweißen Abbildungen. Pappband.
Eine Reise durch das Alpengebiet, von Ost nach West, mit der Darstellung der SBB-Zufahrtslinien und von 18 Privatbahnen. Jede dieser Bahnen wird mit einer geschichtlich-technischen Übersicht vorgestellt.

Franz Marti/Richard Heinersdorff

Alpenbahnen in Österreich

160 Seiten mit 8 farbigen und 232 schwarzweißen Abbildungen. Pappband.
Die erste Bahn über ein Gebirge wurde in Österreich gebaut: die Semmering-Bahn. Franz Marti und Richard Heinersdorff behandeln in ihrem Buch natürlich auch diese Strecke, wenden sich jedoch auch anderen Bahnen zu, die vielleicht weniger bekannt, aber nicht minder interessant sind. Der Betrachter kann eine Reise mitmachen mit der Karwendelbahn von Innsbruck über Garmisch nach München oder mit der Mariazellerbahn von St. Pölten nach Gußwerk.